Fonte para a vida

Fonte para a vida
Sete perspectivas para revigorar sua fé

ANA RUTE CAVACO
DÉBORA OTONI
FRANCINE VERÍSSIMO WALSH
GABRIELA BEVENUTO
JOSANA OLIVEIRA
MEL BARBOSA
RENATA VERAS

Organizado por João Guilherme Anjos

MUNDO CRISTÃO

Copyright © 2024 por Ana Rute Cavaco, Débora Otoni, Francine Veríssimo Walsh, Gabriela Bevenuto, Josana Oliveira, Mel Barbosa, Renata Veras

Primeira edição publicada por Editora 371 em 2019.

Os textos bíblicos foram extraídos da *Almeida Revista e Atualizada*, 2ª edição (ARA), da Sociedade Bíblica do Brasil, salvo as seguintes indicações: *Nova Almeida Atualizada* (NAA) e *Almeida Revista e Corrigida* (ARC), ambas da Sociedade Bíblica do Brasil; *Nova Versão Internacional* (NVI), da Biblica, Inc.; e *A Mensagem*, de Eugene Peterson, publicada pela Editora Vida.

Todos os direitos reservados e protegidos pela Lei 9.610, de 19/02/1998.

É expressamente proibida a reprodução total ou parcial deste livro, por quaisquer meios (eletrônicos, mecânicos, fotográficos, gravação e outros), sem prévia autorização, por escrito, da editora.

CIP-Brasil. Catalogação na publicação
Sindicato Nacional dos Editores de Livros, RJ
F762

    Cavaco, Ana Rute
       Fonte para a vida : sete perspectivas para revigorar sua fé / Ana Rute Cavaco ... [et al.]; organização João Guilherme Anjos. - 1. ed. - São Paulo : Mundo Cristão, 2024.
       144 p.

    ISBN 978-65-5988-301-1

      1. Espiritualidade. 2. Vida Cristã. 3. Fé. I. Cavaco, Ana Rute. II. Anjos, João Guilherme.

24-88104

CDD: 234.23
CDU: 27-184.3

Meri Gleice Rodrigues de Souza - Bibliotecária - CRB-7/6439

Categoria: Espiritualidade
1ª edição: abril de 2024

Edição
Daniel Faria

Revisão
Raquel Carvalho Pudo

Produção e diagramação
Felipe Marques

Colaboração
Ana Luiza Ferreira
Raquel Xavier

Capa
Douglas Lucas

Publicado no Brasil com todos os direitos reservados por:
Editora Mundo Cristão
Rua Antônio Carlos Tacconi, 69
São Paulo, SP, Brasil
CEP 04810-020
Telefone: (11) 2127-4147
www.mundocristao.com.br

Sumário

Apresentação — 7

1. A mulher e o retrato da nova cristandade: por uma teologia da mulher — 11
Renata Veras

2. Esperar é caminhar — 41
Débora Otoni

3. Literatura, criatividade e a maior história já contada — 53
Gabriela Bevenuto

4. A fábrica mais antiga do mundo — 69
Josana Oliveira

5. Relacionamentos intencionais: voltando a ser igreja — 85
Francine Veríssimo Walsh

6. Uma breve teologia da hospitalidade — 103
Ana Rute Cavaco

7. O *mitte* da teologia paulina — 121
Mel Barbosa

Apresentação

Ao longo de dois mil anos de história da igreja, sempre foi necessário pensar a fé para cada época. Foi com base nessas reflexões contextualizadas que surgiram muitas doutrinas perenes. Desde o Concílio de Jerusalém, no primeiro século da era cristã, até, por exemplo, a Declaração de Cambridge, em 1996, os cristãos são chamados a reagir com fé aos desafios que se apresentam e, assim, firmar (e reafirmar) a sã doutrina.

Esforços para pensar a fé de maneira que faça sentido para cada geração nunca serão inúteis. O que não se deve perder de vista é que pensar uma fé contemporânea não pode se tornar um ato de pura inovação, pois esse é um caminho fácil para a fabricação de novas heresias. A contextualização precisa sempre apontar para trás, ao mesmo tempo que para a frente. É lá atrás que se encontram as bases de nossa fé, ainda que nossos anseios naturalmente nos encaminhem adiante. Conta-se que, após Billy Graham proferir um sermão em viagem à Inglaterra, já como pregador famoso, a imprensa teria noticiado que ele chegava com uma mensagem cinquenta anos atrasada. Um repórter o abordou perguntando o que ele achava de tal avaliação acerca de sua mensagem. Sua resposta teria sido: "Eu lamento que minha mensagem esteja só cinquenta anos atrasada. Gostaria que ela estivesse estampada na cruz".

Apócrifa ou não, essa história nos ensina que o desejo de todos que fazem teologia deve ser este: apontar para a fonte. É no sangue jorrando da cruz que se encontra a fonte de tudo o que precisamos para entender e viver a fé, pois é ali que encontramos vida. Somente Jesus pode ser a fonte da vida. Fora disso, qualquer fé, contemporânea ou não, é vazia de significado.

Este livro é o resultado de algumas construções de fé contemporâneas que apontam para a fonte da vida. Escrito por sete mulheres de diferentes contextos, igrejas, ministérios e formações, e até mesmo nascidas ou vivendo em países diferentes, a obra reúne artigos que elaboram a fé de maneiras singulares.

Um olhar atento para a estrutura permitirá a constatação de que o primeiro e o último capítulos funcionam como molduras. Mais teóricos, formam uma espécie de proteção doutrinária do conteúdo intermediário. No capítulo 1, Renata Veras nos convida a refletir sobre a importância da mulher, as implicações do formato populacional do mundo hoje para a cristandade e os desafios e possibilidades para a construção de algo que poderíamos denominar uma teologia da mulher. No capítulo 7, que fecha o livro, Mel Barbosa nos brinda com teologia em estado puro, demandando atenção especial durante a leitura. Não é sem propósito. Esse esforço intelectual configura nada menos que uma investigação do

APRESENTAÇÃO

centro da mensagem do apóstolo Paulo e suas ramificações para a vida cristã hoje e sempre.

Exatamente no meio do livro, no capítulo 4, Josana Oliveira nos apresenta um problema que, infelizmente, acomete a humanidade desde a Queda e contra o qual teremos de lutar até a volta de Cristo: a idolatria. Certeiro, João Calvino afirmou que o coração humano é uma fábrica de ídolos. Como bem lembra Josana, essa luta só pode ser vencida pela força do Oleiro que nos dá um coração satisfeito.

No capítulo 2, Débora Otoni aborda um assunto que lhe é caro: a espiritualidade. Ela nos lembra que esperar é caminhar. Para Débora, a verdadeira espiritualidade reformada envolve a mente e o coração. Não somente isso, a verdadeira espiritualidade envolve espera, pois, como diz o profeta Isaías, aqueles que esperam no Senhor renovam suas forças e não se cansam.

Em seguida, no capítulo 3, Gabriela Bevenuto nos estimula à leitura. Precisamos de bons autores e de bons livros, lembra-nos a autora. Precisamos de boa literatura. E mais: precisamos de bons leitores!

O capítulo 5, escrito por Francine Veríssimo Walsh, apresenta um aspecto tão simples da vida cristã, mas também tão negligenciado: relacionamentos intencionais. Ninguém duvida que o individualismo é uma marca de nosso tempo. Infelizmente, essa marca atingiu a igreja de Cristo. De forma prática e inspiradora, Francine nos ensina a desenvolver relacionamentos verdadeiramente intencionais.

Por fim, o capítulo 6 é escrito por Ana Rute Cavaco. Ela é portuguesa. Em seu texto, ela parte de experiências familiares para refletir sobre a importância da hospitalidade para a boa prática da fé cristã. Queremos que Ana Rute esteja em casa entre as brasileiras e que o leitor se sinta em Portugal, sentado na sala da casa da autora, enquanto lê seu capítulo.

Multifacetado como a fé, este livro costura estilos e temas diferentes a fim de apontar para uma mesma direção. Nosso desejo é que, ao concluir sua leitura, você tenha sua fé em Jesus Cristo revigorada e sinta que o aperfeiçoamento dos santos envólve atitudes simples e ainda assim transformadoras, desde o cuidado com a idolatria no coração até a escolha de uma boa história para ler, passando pela alegria de receber amigos em casa. Tudo isso construído e apresentado por mulheres que fazem teologia.

João Guilherme Anjos
Organizador

1
A mulher e o retrato da nova cristandade: por uma teologia da mulher

> **Renata Veras**
> é casada com o pr. Valberth Veras e mãe de Valentina e Carolina. Mestranda em Teologia, formada em Teologia e em Educação com especialização em Psicopedagogia, desenvolve seu ministério como membro da Igreja Batista Maanaim e como professora no Seminário e Instituto Bíblico Maranata. Seu maior e mais importante ministério é o de esposa, mãe e dona de casa em tempo integral.

O retrato da nova cristandade é feminino. É o que dizem as estatísticas e as perspectivas a respeito do cristianismo global. Nessa realidade contemporânea de cristianismo, as mulheres são maioria e têm participação crucial.

Ainda que nossos olhos não captem isso, Deus está trabalhando e tem um plano em curso que foi traçado desde os tempos eternos. Estudar a história da igreja nos ajuda a contemplar as diferentes formas pelas quais Deus tem trabalhado através dos séculos, usando diferentes povos para cumprir o supremo propósito de glorificar seu nome. De fato, na história do plano de Deus, o eixo e o retrato do cristianismo vão mudando ao longo dos tempos. Começando pelo Oriente Médio, o agir divino alcançou a Europa e, dali, todo o Norte Global. Nos últimos tempos, Deus tem avançado seu plano de maneira extraordinária no que chamamos de Sul Global: América Latina, África e Ásia.

Pesquisadores especialistas em religião são unânimes em apontar para uma mudança de eixo do cristianismo global do Norte para o Sul. Não somente o eixo, mas também o retrato do cristão comum mudou. Nos tempos em que vivemos, é evidente o fato de que a massa esmagadora dos cristãos é composta por mulheres. O retrato do cristão contemporâneo somos nós, você e eu. Mulheres do Sul Global.

A mulher e a nova cristandade

Philip Jenkins, em sua série sobre a expansão e as tendências do cristianismo mundial, chama a atenção para o fato de que estamos vivendo um dos grandes momentos de transformação global da religião, principalmente no que tange ao cristianismo. "Nos últimos cem anos, o centro de gravidade do mundo cristão deslocou-se inexoravelmente para o Sul, para a África, Ásia e a América Latina", afirma ele. "Já em nossos dias, as maiores comunidades cristãs do planeta encontram-se na África e na América Latina." O estereótipo cristão do homem branco, classe média, europeu ou americano, dá lugar a uma nova cristandade. Hoje, diz Jenkins, "se quisermos visualizar um cristão contemporâneo 'típico', deveremos pensar numa mulher residente numa aldeia da Nigéria ou numa favela brasileira".[1]

As mulheres são a maioria dos convertidos na nova cristandade. E essa massa de mulheres é africana, asiática e latina. Segundo o censo do IBGE de 2010, entre os evangélicos que somavam à época 22% da população brasileira, as mulheres já eram maioria (23,5 milhões de mulheres contra 18,7 milhões de homens), sendo a maior parte na faixa etária dos 30 aos 39 anos (6,7 milhões).[2] Nas denominações que mais crescem, como é o caso das pentecostais, a maioria dos convertidos é formada por mulheres, de modo que pensar as questões de feminilidade se torna fundamental para a saúde e para o crescimento da igreja de Cristo.

Não resta dúvida que as mulheres desempenham papel digno de atenção nas igrejas em todo o Sul do globo. Jenkins salienta que "as mulheres têm papel central nas denominações cristãs do Sul, quer sejam, quer não ordenadas formalmente. Em geral, elas constituem os convertidos mais importantes e a força principal para a conversão da família ou de outras pessoas".[3] Assim, temas como direito de gênero, relações familiares e ordenação feminina serão questões inevitáveis para o teólogo contemporâneo. Quem

[1] Philip Jenkins, *A próxima cristandade: A chegada do cristianismo global* (Rio de Janeiro: Record, 2004), p. 16.

[2] Instituto Brasileiro de Geografia e Estatística, *Censo Demográfico 2010: Características gerais da população, religião e pessoas com deficiência* (Rio de Janeiro: IBGE, 2012), <https://biblioteca.ibge.gov.br/visualizacao/periodicos/94/cd_2010_religiao_deficiencia.pdf>.

[3] Philip Jenkins, *The New Faces of Christianity: Believing the Bible in the Global South* (Nova York: Oxford University Press), p. 158.

quiser fazer um estudo sério do cristianismo e desenvolver uma teologia atual e prática precisa, inevitalmente, se dedicar à questão da mulher.

Novos contextos, novas questões

Fica claro que a figura média do cristão na nova cristandade mudou radicalmente. Se essa mudança é radical no que diz respeito ao homem cristão, é ainda mais no que diz respeito à mulher cristã. O estereótipo da mulher cristã era o da mulher de meia-idade, branca, de classe média, letrada, casada, dona de casa, com família pequena, americana ou europeia. Hoje, o retrato da mulher nesta nova era do cristianismo é outro: o de uma mulher jovem, de classe baixa, parda, muitas vezes com casamentos desfeitos ou muitos filhos sem casamento, iletrada, provedora do lar, latina, africana ou asiática.

A mudança do perfil da mulher cristã implica a mudança de questões e o surgimento de novas respostas teológicas para sua realidade. Novas respostas não no sentido de mudança no conteúdo das respostas antigas ou de novas revelações, mas no sentido de respostas a perguntas que não haviam sido feitas até então. A mudança no retrato da cristandade, a mudança de questões e o surgimento de novas respostas não implicam um novo cristianismo. O cristianismo é um e o mesmo, e a revelação eterna e suficiente das Escrituras sempre dará conta de responder às novas perguntas que emergem de novos contextos.

No entanto, enquanto nos contextos europeu e norte-americano as questões teológicas levantadas acerca da feminilidade giram em torno da questão da ordenação feminina, outras questões emergem da leitura bíblica no contexto do Sul Global. As questões levantadas em contextos como o latino-americano, africano e asiático são mais diretas e práticas, não tão abstratas e filosóficas. Dizem respeito a costumes culturais perversos, promiscuidade, falta de valores familiares e a necessidade básica de sobrevivência, questões relacionadas a saúde, segurança ou sustento financeiro.

As questões femininas que emergem, por exemplo, do contexto africano são diversas e desafiadoras. Em um contexto em que mulheres são vendidas como escravas ou em casamento, a verdade do evangelho chega trazendo uma verdadeira revolução social. Questões como poligamia, promiscuidade (e AIDS), casamento infantil e circuncisão feminina exigem uma teologia robusta e comprometida com uma antropologia feminina que dê conta dessas questões e que se revele profundamente prática. A realidade do envolvimento e da liderança espiritual das mulheres que culturalmente desempenham papéis de liderança (profetas, médiuns, videntes, adivinhadoras, curandeiras e pregadoras, por exemplo) e "perdem" o poder e a participação que tinham na esfera religiosa levanta questões eclesiásticas essenciais, trazendo à tona a necessidade de um entendimento bem embasado, livre de influências pessoais e culturais, a respeito do ensino bíblico referente aos papéis eclesiásticos.

O contexto da mulher latino-americana também enseja questões peculiares de extrema pertinência. Além das questões comuns ao contexto do cristianismo do Sul Global, como promiscuidade e exploração sexual, questões familiares relacionadas à realidade econômica tocam de perto a vida prática da mulher cristã latina. Famílias desestruturadas, recasamentos, jornada dupla de trabalho e criação solitária de filhos são questões que necessitam ser contempladas no desenvolvimento de uma teologia contextualizada e pertinente. Além disso, o avanço das ideologias relacionadas a feminismo, questões de gênero, homossexualidade, reconfiguração familiar etc., aliado a uma falta de respostas biblicamente embasadas para tais questões, encontra terreno fértil para o sincretismo e o liberalismo teológico.

As peculiaridades da realidade da mulher nesses novos contextos do cristianismo nos fazem repensar uma produção teológica contextualizada comprometida com a questão da feminilidade e que dialogue com essa realidade. A falta de uma reflexão própria sobre o que as Escrituras têm a dizer a respeito da vida e da fé, bem como a importação acrítica de uma teologia do Norte que não dialoga com as necessidades pungentes da mulher da nova cristandade, criam um vácuo que tem sido preenchido por um modelo de teologia liberal e libertário que em nada preserva a mensagem das Escrituras.

As mulheres que configuram a maioria dessa nova cristandade estão inseridas em contextos de enormes pressões sociais, econômicas e familiares que suscitam importantes questões a respeito de sua participação no mundo, no lar e na igreja. São mulheres que comem, trabalham, sofrem, amam, adoram. Mulheres que desejam e necessitam entender o que as Escrituras têm a dizer sobre seu valor, seu papel e sua esperança no mundo e no plano de Deus. Que anseiam por desfrutar da transformação que o evangelho pode trazer em meio a contextos de violência e indignidade.

De fato, a pertinência da questão da mulher no cristianismo rompe as barreiras daquele pequeno grupo de mulheres que se reúne em uma sala de estar para estudar as Escrituras. A pertinência, assim como a realidade, é global. Não é do interesse apenas da mulher refletir sobre as implicações do evangelho para sua vida, seu papel e atuação, mas é do interesse da igreja como corpo de Cristo. As implicações das realidades contemporâneas se refletem diretamente sobre a igreja, seja no que diz respeito às relações entre homens e mulheres, seja no que diz respeito à participação destas na dinâmica eclesiástica.

A mulher e a chegada do cristianismo

A chegada do cristianismo deve se refletir de maneira visível nas relações entre homens e mulheres, no mundo, no lar e na igreja. É esperado que a presença do cristianismo exerça impacto positivo nas relações entre homens e mulheres, no bem-estar geral feminino e nas relações familiares. E, via de regra, é o que ocorre. A realidade da mulher na nova cristandade se transforma mediante a conversão, e isso se traduz em mudanças em sua forma de se relacionar com a família e a sociedade. O simples acesso às Escrituras tem resultado numa verdadeira revolução em muitos contextos. O fato de que alguns temas sejam levantados pelas Escrituras faz que assuntos controversos como estupro, circuncisão e viuvez possam ser finalmente debatidos sem que pareçam questionamentos importados de outra cultura.

FONTE PARA A VIDA

Um dos casos mais expressivos da mudança radical promovida com a chegada do cristianismo e o acesso à leitura das Escrituras no Sul Global diz respeito à prática da circuncisão feminina no Quênia. Mulheres de uma localidade do país meditaram, de forma autônoma, nas Escrituras e, com base nessas reflexões, concluíram que a ordenação de Deus para a circuncisão se restringia a homens e não incluía mulheres. Seguindo essas discussões, mulheres cristãs criaram uma associação para defender suas próprias filhas da circuncisão. Tendo em vista a importância da circuncisão na definição de feminilidade, moralidade sexual e maioridade naquele contexto específico, essa foi uma verdadeira revolução social alimentada pela Bíblia.[4]

Com a chegada do cristianismo, as mulheres da nova cristandade encontram na igreja um ambiente saudável em que os ensinamentos proporcionam a renovação dos valores familiares e promovem uma participação ativa e de serviço. Os valores familiares cristãos de fidelidade, feminilidade e masculinidade têm um efeito transformador que se reflete no bem-estar feminino, na renovação de seus papéis e de suas aspirações, e na melhoria das relações entre os sexos.

As mulheres não têm sido apenas transformadas pela teologia (ou pela chegada do cristianismo). As mulheres também têm transformado a teologia. Elas têm sentido a necessidade de pensar e refletir sobre sua fé e sobre como essa fé afeta a forma de viver a feminilidade. Elas têm buscado produzir — de forma leiga ou acadêmica, sadia ou problemática — teologias que deem conta de seu papel no

---

[4] Jenkins, *The New Faces of Christianity*, p. 170.

mundo e no reino de Deus. As redes sociais testemunham o crescente interesse da mulher comum em questões relativas à sua fé. As cátedras de teologia feminista evidenciam que existe um esforço sério e comprometido por parte de mulheres para fazer uma teologia que dialogue com sua realidade.

Infelizmente, porém, a apropriação das Escrituras nem sempre acontece de maneira positiva. A construção de teologias equivocadas alimentadas pela falta de um interesse sério no assunto ou pela falta de uma reflexão criteriosa, própria, profunda e contextualizada, também acarreta problemas sérios para a mulher na nova cristandade.

Em um extremo, a falta de uma teologia prática resulta em que, não raro, textos bíblicos sejam acusados de sustentar práticas culturais de opressão de mulheres e desigualdades entre os gêneros ou de distanciar as mulheres de realidades próprias de sua vida cotidiana.

Por exemplo, a autora Rosemary Mumbi chega a dizer que a solução para o problema de espancamento e violência doméstica está em Provérbios 31 e no exemplo da mulher virtuosa. A mulher que vive de acordo com esse ideal "tem um senso de seu próprio valor e vive cheia de satisfação em seu Senhor e Mestre por meio da obediência. Na minha opinião, não haveria necessidade de se espancar uma esposa em circunstâncias normais".[5] Um perigo semelhante é abordado por Musimbi Kanyoro: "As mulheres africanas notam a

---

[5] Rosemary Mumbi, "Battered Women", in Judy Mbugua (org.), *Our Time Has Come* (Grand Rapids, MI: Baker, 1994), citada em Jenkins, *The New Faces of Christianity*, p. 161.

diferença de idade entre Boaz e Rute. Essa é uma questão de preocupação quando relacionada a casamentos de crianças e o abuso sexual de mulheres por homens no poder. [...] E se essa história bíblica for usada como justificação para famílias africanas que casam suas pequenas meninas com homens idosos?".[6] Jenkins fornece ainda "um exemplo mortal", o de Deuteronômio 8.15-16, texto que insta os crentes a confiarem em que Deus os protegeria de serpentes venenosas, para ensinar aos crentes que, desde que estejam sob a proteção divina, eles não precisam nem mesmo tomar precauções contra a AIDS.[7] Também se pode constatar a afinidade da igreja africana com uma visão problemática do Antigo Testamento na justificativa de práticas como a poligamia e a exclusão de mulheres menstruadas de funções na igreja ou até da participação no culto. Em partes do norte e do leste da África a circuncisão continua um lugar-comum, mesmo entre os cristãos, para o horror da maioria dos líderes da igreja. Algumas igrejas independentes justificam a prática referindo-se às palavras de Paulo em 1Coríntios 7.19: "A circuncisão é nada, e a incircuncisão nada é" (ARC). O fato é que as interpretações cristãs relativas ao gênero tidas como tradicionais (inevitavelmente, importadas do Norte Global) encontram terreno fértil nas culturas africanas, asiáticas e latino-americanas — culturas tidas como naturalmente patriarcais e tradicionais no tocante às relações de gênero.

[6] Musimbi R. A. Kanyoro, *Introducing Feminist Cultural Hermeneutics* (Cleveland, OH: Pilgrim Press, 2002), citada em Jenkins, *The New Faces of Christianity*, p. 162.

[7] Jenkins, *The New Faces of Christianity*, p. 162.

No extremo oposto, como reação a essa desconexão e apropriação rasa das Escrituras, está uma teologia que eleva sua voz acima da das Escrituras, impondo sobre ela sua ideologia, silenciando-a e privando a mensagem do evangelho de todo o seu poder legitimamente transformador.

A necessidade de uma teologia para as questões da feminilidade e das relações entre homens e mulheres se torna cada vez mais urgente em face do descortinar da nova cristandade. Sem uma sistematização dos princípios supraculturais da antropologia feminina, o pouco que temos pode não passar de uma série de aplicações práticas carregadas de valores culturais e distantes da realidade da mulher na nova cristandade. Observamos, portanto, que:

1. A falta de uma teologia sólida e contextualizada sobre a mulher significa uma falta de respostas bíblicas para questões emergentes a respeito da mulher e das relações de gênero no contexto do Sul Global.
2. A falta de uma reflexão teológica contextualizada faz que a mulher da nova cristandade se relacione com sua fé de maneira distante e pouco prática.
3. A falta de uma teologia verdadeiramente bíblica e contextualizada tem aberto caminhos para influências liberais e humanistas.

A maioria da igreja brasileira é composta por mulheres. E, embora o retrato da nova cristandade, incluindo a igreja brasileira, seja feminino, oficialmente pouco se fala e se ensina a respeito do papel da mulher segundo as Escrituras. Isto é, aqueles que foram incumbidos por Deus para cuidar da igreja por meio do ensino e da pregação, os pastores e mestres, não têm se debruçado devidamente sobre o assunto. O que temos se resume a uma teologia importada que, mesmo sadia, pouco dialoga com as necessidades locais. E, quando de fato se produz teologia local, não é raro que ela seja humanizada, politizada e militante.

Essa realidade nos leva a considerar a necessidade e urgência de uma reflexão teológica séria, criteriosa e contextualizada por parte dos pastores, mestres e líderes cristãos; a necessidade de uma teologia da mulher que contemple a realidade e a necessidade dessa mulher, que seja profundamente bíblica e que promova uma verdadeira transformação, possível apenas através do evangelho de Cristo.

As mulheres produzem teologia. Elas produzem teologia na universidade, na internet, na conversa com os colegas de trabalho, no lar. Elas avaliam e criticam, absorvem ou rejeitam as teologias que lhes são apresentadas. Elas foram alcançadas pela fé e refletem sobre a relação de sua fé com sua forma de viver. A realidade da nova cristandade também nos conclama a equipar as mulheres com ferramentas que as guiem na reflexão teológica, no exercício da relação entre fé e prática, no processo de avaliar e criticar tantas teologias correntes sobre a mulher, rejeitando o que não é bíblico e retendo o que é bom.

Caminhos para uma teologia da mulher

Alguns critérios são fundamentais para o desenvolvimento de uma teologia que dê conta das questões suscitadas em novos contextos e que, ao mesmo tempo, seja alinhada às

Escrituras. E o esforço aqui é o de mostrar o caminho para uma teologia da mulher realmente bíblica e relevante, que permanece fiel ao ensino das Escrituras e dialogue com a mulher da nova cristandade.

Na definição de Millard Erickson, teologia é a disciplina que procura afirmar, de modo coerente, as doutrinas da fé cristã, fundamentada principalmente nas Escrituras, situada no contexto da cultura em geral, verbalizada em linguagem atual e relacionada com as questões da vida.[8] O esforço para apresentar uma declaração coerente sobre o que a Bíblia diz acerca do valor, lugar e papel da mulher no mundo e no reino é necessário e indispensável desde sempre, e principalmente agora, nesse cenário em que desponta uma nova cristandade.

Paul Enns elenca alguns requisitos essenciais para uma teologia adequada.[9] Tais requisitos tanto preparam o estudante piedoso das Escrituras para analisar criticamente as tantas teologias propostas para a mulher como fornecem o fundamento para a construção de uma teologia coerente e ética.

Como em qualquer área do conhecimento, uma teologia verdadeiramente válida precisa atender a requisitos fundamentais a fim de ser considerada teologia própria. Em primeiro lugar, a teologia precisa ser científica. Esse requisito se relaciona com a necessidade de a teologia ser *coerente*. Contrariando a visão popular de que a teologia não trabalha

[8] Ver Millard J. Erickson, *Teologia sistemática* (São Paulo: Vida Nova, 2015), p. 22.
[9] Ver Paul Enns, *Manual de teologia Moody* (São Paulo: Editora Batista Regular, 2014), p. 162.

em bases racionais, é necessário que o teólogo use métodos apropriados de objetividade para a construção de uma teologia válida. Erickson diz que a teologia segue os critérios tradicionais de conhecimento científico, uma vez que possui um objeto de estudo definido, lida com questões objetivas, utiliza-se de uma metodologia definida para investigar seu objeto de estudo, recorre a um método para verificar suas proposições e demonstra coerência entre suas proposições.[10]

A teologia evangélica explora um objeto de estudo legítimo, possui um caráter cognitivo e procura avaliar suas verdades mediante critérios publicamente aceitos. Isso significa que os cristãos podem receber as reflexões da teologia evangélica como objetivamente verdadeiras.

Objetividade é essencial para o pensamento contemporâneo em geral e para a teologia evangélica em particular. Se a teologia é seguramente uma ciência, ela deve se mover em direção a certa forma de objetividade. A objetividade que é possível, entretanto, não exige que o intelectual abstraia a si mesmo de seu contexto, porque isso simplesmente não é possível. Essa objetividade não significa que seu conhecimento é incorrigível, afinal os pensamentos humanos são sempre sujeitos a correções. A objetividade *modesta* que a teologia evangélica deve possuir e valorizar é o desenvolvimento de virtudes intelectuais, como, por exemplo, o estar aberto a novas informações. Esse tipo de objetividade moderada possível para a teologia rejeita o perspectivalismo e o absolutismo moderno. Essa versão modesta de objetividade preserva seu valor.

---

[10] Erickson, *Teologia sistemática*, p. 35.

Uma teologia verdadeiramente modesta observa os princípios de *Sola Scriptura* e de *Semper Reformata*. *Sola Scriptura* nos lembra que o significado textual é independente de nossos esquemas interpretativos e de que nossas interpretações terão sempre *status* secundário. *Semper Reformata*, por sua vez, nos lembra da corrigibilidade de nossas interpretações (mas não de que todas as interpretações são igualmente válidas).

Entender a teologia como um fim para conhecer e amar a Deus é perfeitamente consistente com um interesse robusto de buscar objetivamente a descrição bíblica sobre o objeto desse amor. A teologia deve, via de regra, usar os métodos que todo intelectual usa. A teologia evangélica mostra excelência acadêmica e intelectual no sentido de que lida, na medida do possível, de forma honesta, extensiva e complexa com seu material de estudo. Uma metodologia apropriada de aproximação com a tarefa teológica é fundamental para a construção de uma teologia que dê conta das questões pertinentes à mulher.

Entre os requisitos fundamentais para uma teologia válida, está a necessidade de que essa teologia seja *contextualizada*, *atual* e *prática*. Contextualizar a teologia e torná-la atual não significa usar expressões e formas de pensamento atuais para comunicar a verdade divina sobre Deus, a humanidade e o mundo. Contextualizar e atualizar a teologia têm a ver com a necessidade de que ela seja profundamente prática, relacionada com a vida, e não apenas teórica e proposicional.

Um perigo latente no processo de contextualização da teologia é cair em algum dos extremos na consideração das questões culturais e contextuais durante o labor teológico. De um lado dos extremos, estão os teólogos liberais que enfatizam a cultura e as experiências culturais acima das questões bíblicas. Para eles, o ponto de partida e o balizador de toda reflexão teológica são as experiências culturais. Do outro lado, está a visão tradicional que, embora preze pela autoridade e prioridade das Escrituras, muitas vezes ignora ou dá pouca atenção para as questões culturais envolvidas no labor teológico. Certamente é necessária uma dose extra de compromisso com a autoridade bíblica para que, na fuga da teologia arcaica e obsoleta, não se incorra no extremo oposto de uma modernização que distorce a mensagem bíblica no intuito de ajustá-la a ideias atuais.

O problema daqueles que caem no extremo de supervalorizar a cultura é que o compromisso com objetivos derivados da cultura pode acabar minando a autoridade bíblica. Ao lidar com a diversidade cultural, o teólogo deve rejeitar o multiculturalismo ideológico e o relativismo cultural, pois eles silenciam o evangelho. Ao mesmo tempo que reconhece a pluralidade de culturas criadas por Deus e abraça a igualdade humana, o teólogo recorre às Escrituras para julgar a cultura.

O teólogo não deve ignorar as questões culturais nem colocá-las acima das Escrituras, como princípio norteador. David K. Clark propõe um método de contextualização dialógico em que a Bíblia não somente responde às questões levantadas pela cultura, mas também as transforma.[11]

---

[11] Ver David K. Clark, *To Know and to Love God: Method for Theology* (Wheaton, IL: Crossway, 2003), p. 99.

As Escrituras moldam tanto as respostas como as perguntas. A teologia evangélica dialógica dá prioridade às Escrituras por seu caráter autoritativo, e assim a Bíblia julga toda questão surgida da cultura. As Escrituras, ao mesmo tempo que corrigem as questões da cultura, também corrigem pontos cegos na teologia produzida pelo teólogo. Tal método dialógico enxerga o caráter transcultural das Escrituras. A Bíblia em si é transcultural, não apenas em princípio ou essência, mas de forma concreta, observável. E ela é transcultural, não acultural ou supracultural, mas aplicável a qualquer cultura. Esse diálogo produz uma teologia que é genuinamente contemporânea e solidamente bíblica.

As implicações da desconsideração da autoridade das Escrituras e da supervalorização das questões culturais são que produziremos ou uma teologia irrelevante para a mulher da nova cristandade ou uma teologia que não é solidamente bíblica. Ao considerar seriamente as questões levantadas pela cultura abraçando firmemente a autoridade, a suficiência e a inerrância das Escrituras, o teólogo será capaz de dar respostas verdadeiramente firmes, coerentes e válidas aos problemas e às necessidades da mulher, questões que têm sido insuficientemente respondidas por aqueles que desconsideram as características distintivas das Escrituras. O ponto-chave é que "a mensagem cristã deve dirigir-se às questões e aos desafios encontrados atualmente, mesmo quando questiona a validade de alguns deles".[12]

Cabe lembrar ainda que a teologia não lida com questões subjetivas, expressão de sentimentos ou opiniões pessoais

[12] Erickson, *Teologia sistemática*, p. 23.

do teólogo. Ela é construída a partir de um método fundamentalmente indutivo de pesquisa bíblica, utilizando ferramentas como dados contextuais e línguas originais, a fim de empreender o rigoroso processo de exegese. Dessa forma, o teólogo busca a verdade contida nos escritos sagrados, permitindo que as Escrituras manifestem sua voz, procurando sempre evitar o processo oposto de eisegese, em que o teólogo importa seus preconceitos e ideologias para dentro do texto, maculando os resultados.

Daí a necessidade vital de aplicação de princípios hermenêuticos éticos. A teologia trabalha fundamentalmente com o material das Escrituras. Materiais extras contribuem positivamente, desde que subordinados à autoridade das Escrituras. A forma como o teólogo se aproxima das Escrituras em sua tarefa de elaboração de definições adequadas do ensino bíblico sobre as mais diversas áreas determinará seus resultados. Abordagens como a utilitarista, a pragmática ou a desconstrucionista destroem a noção de autor, significado e ética do texto. Uma teologia propriamente adequada da mulher só se constrói sobre o alicerce firme da crença na inspiração e inerrância das Escrituras, no Autor divino e na validade e atualidade da mensagem.

Estudo de caso: o problema da teologia feminista

Uma proposta teológica que ganha espaço nos contextos do cristianismo do Sul Global, nessa busca por relacionar a fé e a realidade da mulher, é a teologia feminista. Em versões genuinamente sulistas, a teologia feminista tem encontrado espaço nas vozes de teólogas latino-americanas, africanas e asiáticas que, de forma militante, têm produzido teologia que busca dialogar com as necessidades da mulher do Sul Global.

Por muitos considerarem essa teologia sulista sobre a mulher a única verdadeiramente contextualizada e válida, penso que é pertinente expressar algumas preocupações a seu respeito.

Muito do efeito da chegada do cristianismo aos contextos sulistas tem sido minimizado pelas vozes da teologia feminista. Nesse contexto, a melhoria da situação da mulher cristã, que ocorre principalmente pela valorização dos papéis biblicamente estabelecidos, é rejeitada e considerada uma mera "reforma do machismo", conceito trabalhado pela professora de antropologia cultural Elizabeth Brusco, segundo a qual essa reforma do machismo seria fruto da importação de uma teologia tradicional e patriarcal que utiliza as Escrituras para endossar práticas de opressão feminina.[13] Madipoane Masenya, teóloga feminista africana, diz que as mulheres estão presas entre dois cânones, um pré-cristão e outro cristão. De um lado, uma cultura de opressão contra a mulher; de outro, um cristianismo que justifica as práticas opressivas mediante o mau uso da Bíblia.[14]

Para a teologia feminista, os efeitos do evangelho só podem ser verdadeiramente comprovados pelo fim não somente da opressão da mulher e da valorização dos papéis femininos, mas também pelo fim de qualquer tipo de

---

[13] Ver Elizabeth E. Brusco, *The Reformation of Machism, Evangelical Conversion and Gender in Colombia* (Austin, TX: University of Texas Press, 1995).
[14] Ver Madipoane Masenya, *How Worthy Is the Woman of Worth?* (Nova York: P. Lang, 2004).

diferenciação de papel, autoridade, submissão. Dessa perspectiva, no Sul Global, a expansão quantitativa do cristianismo entre as mulheres não coincide com sua expansão qualitativa.

A proposta que se segue, então, tem sido a rejeição completa da teologia tradicional/conservadora a respeito das relações entre homens e mulheres e do valor e papel da mulher. Em seu lugar, propõe-se o desenvolvimento de uma teologia da mulher completamente nova, construída sobre o fundamento das ideologias libertárias feministas e sobre o fundamento das teologias liberais.

As Escrituras, potencialmente capazes de promover transformação e melhoria de vida para as mulheres do Sul Global, são vistas como uma faca de dois gumes, como potencialmente perigosas, como ferramenta para fins de perpetuação da opressão, o que pode ser visto na declaração da teóloga feminista coreana Hyun Kyung Chung:

> Eu quero colocar um aviso de advertência na Bíblia da mesma forma que as companhias de tabaco colocam em seus pacotes de cigarro. O aviso deve dizer que, sem orientação, esse livro pode levar a vários efeitos colaterais, tais como doenças mentais, câncer, estupro, genocídio, assassinato e um sistema de escravidão. E isso é especialmente perigoso para a saúde mental de mulheres grávidas.[15]

Muitas teólogas da nova cristandade levantam a bandeira de que a verdadeira transformação causada pela chegada do

---

[15] Hyun Kyung Chung, *Struggle to Be the Sun Again* (Maryknoll, NY: Orbis, 1990), citada em Jenkins, *The New Faces of Christianity*, p. 159.

evangelho só pode ser conduzida mediante as vozes locais da teologia feminista que desafiem as leituras tradicionais e patriarcais e objetivem abertamente as questões sociais relacionadas às mulheres — mesmo que, para isso, as Escrituras sejam manipuladas, descartadas, citadas fora de contexto, usadas como pretexto para levantar discussões que, de outra forma, jamais seriam consideradas.

As raízes libertárias das teologias feministas são facilmente reconhecidas em suas agendas e discursos. Como abertamente declara Marga J. Stroher, o objetivo da teologia feminista não é "redescobrir ou revalorizar certos aspectos das mulheres que outrora 'apenas' foram esquecidos".[16] A teologia feminista propõe não apenas uma teologia que dê conta das questões da mulher, mas propõe uma desconstrução profunda e sistemática do que por elas é considerada teologia androcêntrica. A teoria feminista é o ponto de partida para a desconstrução de toda a tradição histórica oficial da teologia e a construção de uma nova teologia sob a perspectiva da mulher.

Existem dois aspectos centrais que funcionam como fundamento epistemológico para a construção dessa teologia marcadamente contextual, política e revolucionária. São eles: o questionamento da suposta neutralidade e objetividade dos métodos teológicos e a incorporação da experiência da mulher como eixo central de sua abordagem hermenêutica.

[16] Marga J. Ströher, "A história de uma história: o protagonismo das mulheres na Teologia Feminista", in *História Unisinos* 9(2): p. 118, maio/agosto de 2005.

O processo de construção do método teológico feminista começa pela avaliação e desconstrução das proposições epistemológicas e das condições de produção de conhecimento. A teologia feminista imputa sua maior conquista à desconstrução do método teológico oficial, com sua reivindicação de objetividade e neutralidade.

Sua proposta de método para a construção de uma teologia voltada às questões da mulher pode ser denominada método da suspeita. Ao negar a possibilidade de neutralidade e objetividade, em lugar de buscar a superação dos limites de qualquer construção teológica tanto quanto possível, constroem-se sua epistemologia e seu modelo teológico sob o pressuposto utilitarista e pragmático, assumindo caráter abertamente ideológico e partidário. "Assim como qualquer conhecimento, a teologia sempre serve a certos interesses", afirma Ströher. "A teologia é política, e por isso mesmo, deve abandonar a premissa da assim chamada objetividade e neutralidade, e assumir sua parcialidade, 'tornar-se partidária' [...] indicando a favor de quem ela se pronuncia e se constitui."[17]

A hermenêutica feminista nasce de uma reação ao que chamam de caráter sexista e patriarcal das Escrituras; de uma reação contra a visão bíblica (leia-se "interpretação histórica das Escrituras") de mulheres como propriedade dos homens; do sistema cultural do patriarcado cristão; da visão da mulher como inferior, vulnerável e pecaminosa. Como já dito, é uma reação ao que denominam "teologia universal", teologia essa que, na visão feminista, tem sido parcial em seus juízos sobre o valor, o caráter e o papel da mulher.

---

[17] Ströher, "A história de uma história", p. 122.

A MULHER E O RETRATO DA NOVA CRISTANDADE: POR UMA TEOLOGIA DA MULHER

Assim como seu método teológico, a hermenêutica feminista pode ser definida como uma hermenêutica da suspeita, construída sobre o pressuposto epistemológico de que todo conhecimento, toda produção teológica e toda interpretação é "contingente, situada, localizada e temporal, não universalizada". Nesse sentido, em lugar de buscar a interpretação, ou seja, o significado intencionado nos escritos sagrados, a hermenêutica feminista manipula o texto de acordo com as experiências, principalmente de opressão, das mulheres. Citando a teóloga feminista Rosemary R. Ruether, "a experiência humana é o ponto de partida e de chegada do círculo hermenêutico" da teologia feminista.[18]

Um exemplo emblemático da aplicação da hermenêutica feminista pode ser visto na leitura feminista de Lucas 8. Para muitas eruditas da teologia feminista e libertária africana, Lucas 8 pouco tem a ver com demônios, cura ou exorcismo. O foco do texto seria o potencial de mudança social, de determinação, de despertamento feminino. "Até agora nós, como a filha de Jairo, temos largamente dependido de outros para falar por nós e apresentar nossas dificuldades e necessidades diante do mundo", expressou a teóloga feminista Teresa Okure.[19] A cura da filha de Jairo é mais do que libertação física, e as palavras "filha, levanta" se tornaram o texto-chave e o grito de guerra de movimentos cristãos feministas libertários.

---

[18] Rosemary R. Ruether, *Sexismo e religião: Rumo a uma teologia feminista* (São Leopoldo, RS: Sinodal, 1993), p. 18.
[19] Teresa Okure, "The Will to Arise", in Mercy Amba Oduyoye e Musimbi R. A. Kanyoro (orgs.), *The Will to Arise* (Maryknoll, NY: Orbis Press, 1992), p. 225.

FONTE PARA A VIDA

E assim, para cumprir sua agenda político-libertária para as mulheres do Sul, o texto sagrado é (e deve ser, se preciso for, segundo essa linha teológica) torturado a fim de que se atinja o efeito desejado. Mas, a despeito do esforço e da produção prolífica de material, a teologia feminista libertária do Sul Global não tem encontrado terreno fértil nessa nova cristandade. Contrariando as perspectivas de uma teologia cada vez mais atraente e prática para as mulheres cristãs, principalmente no que diz respeito à proposta liberal com relação aos papéis de gênero, o Sul tem se mostrado conservador e resistente. A tentativa da teologia libertária feminista, tida como distintivamente sulista, mostra não ser nada mais que uma tentativa de importação e aplicação de um modelo humanista ocidental que não tem trazido respostas ou correspondido aos anseios e às necessidades reais das mulheres do Sul Global.

Convém reconhecer que a teologia feminista do Sul demonstra sensibilidade às questões de gênero e da mulher, levantando questões pertinentes que precisam de respostas. Convém reconhecer ainda que a crítica contra interpretações históricas marcadas por pressões culturais não é sem motivo.

Embora muitos dos questionamentos e críticas tenham seu valor ao nos chamar a atenção para a questão, a solução formulada pela teologia libertária feminista se constrói sobre fundamento epistemológico e eticamente equivocado, levando a conclusões extremas e inevitavelmente erradas. Reconhecer o fato de que as Escrituras podem ser usadas como instrumento de opressão precisa ser diferenciado da ideia de que as Escrituras endossam ou reforçam a opressão feminina. O temido potencial opressor das Escrituras deve ser imputado não à ideologia bíblica, mas às interpretações feitas a partir dela.

A MULHER E O RETRATO DA NOVA CRISTANDADE: POR UMA TEOLOGIA DA MULHER

O objetivo principal da hermenêutica feminista, ao contrário de estabelecer o significado com base na intenção textual, é castrar o texto de qualquer potencial opressor e de qualquer autoridade paternal e patriarcal. O ponto de partida para a interpretação feminista das Escrituras é a causa feminina. A hermenêutica feminista liberal lê as Escrituras não para ser transformada por elas ou para interpretar o mundo a partir delas, mas para interpretá-las a partir do mundo. Essa leitura não está preocupada com a explanação (legítima interpretação) dos textos bíblicos, mas com o uso e a aplicação que se pode fazer deles para cumprir seu objetivo inicial.

Kevin Vanhoozer escreve sobre esse tipo de leitura das Escrituras:

> O significado e a verdade dos evangelhos são eclipsados sempre que se busca interpretá-los em termos de uma descrição independente (e.g., extratextual) de sua matéria. [...] Acontece em qualquer interpretação na qual evangelho não é uma história sobre Jesus, mas uma história sobre alguma outra coisa: possibilidades existenciais, libertação social, os direitos das mulheres, etc. Em suma, o sentido literal dos evangelhos é eclipsado sempre que se interpreta os textos "por meio de uma descrição independente de sua matéria".[20]

A abordagem feminista libertária das Escrituras impõe sua própria ideologia sobre o texto, privando as Escrituras de seu potencial distintivamente anti-ideológico. Oferece,

---

[20] Kevin Vanhoozer, *Há um significado neste texto? Interpretação bíblica: os enfoques contemporâneos* (São Paulo: Vida Nova, 2010), p. 364.

• 35 •

portanto, uma interpretação e uma teologia às mulheres que não passam de autoafirmação ideológica e manipulação dos dados bíblicos para endossar "teologicamente" uma solução puramente humanista, presa a valores e expressões culturais não absolutos. Como resume Vanhoozer:

> Atribuir prioridade ao contexto e ao interesse do leitor é imunizar [...] a própria possibilidade de crítica por meio do texto. Ler o texto nesses termos é como projetar a própria imagem sobre o espelho do texto, uma estratégia hermenêutica que sentencia a comunidade interpretativa a olhar para seu próprio reflexo. Uma hermenêutica narcísica tem pouca chance de expandir o autoconhecimento de uma pessoa ou de alcançar a verdadeira libertação.[21]

A teologia feminista libertária, bem como toda sua validade e aplicabilidade para as reais necessidades da mulher na nova cristandade, simplesmente desmorona se estiver fundamentada nessa abordagem hermenêutica problemática.

Mulher, teologia e o retrato da nova cristandade

Uma teologia da mulher verdadeiramente pertinente tem como característica distintiva ser bíblica. Não apenas no sentido de utilizar o texto bíblico para justificar conceitos e ideias preconcebidos, mas no sentido de nascer das próprias Escrituras, desafiando e transformando a história, as culturas, as preferências e os gostos pessoais. "Em vez de interpretar o texto com nossas categorias e esquemas conceituais",

[21] Ibid., p. 221.

defende Vanhoozer, "deixemos o próprio texto interpretar tudo o mais, inclusive os leitores. Interpretar a Bíblia literalmente significa deixar o texto bíblico 'engolir o mundo', e não o contrário."[22] Além de ser o único caminho correto na busca por respostas verdadeiras à questão da mulher, essa é a abordagem mais ética, porque "reconhece o direito do texto de manifestar sua própria voz em primeiro lugar".[23]

Os princípios de *Sola Scriptura* e *Semper Reformata* devem nortear todo esforço para entender o que as Escrituras têm a nos dizer a respeito da mulher (ou de qualquer outro assunto) e como o que elas dizem se aplica na prática, na vida real. É necessário humildade para produzir teologia, principalmente no que se refere à feminilidade. Humildade para deixar nossas ideias do que é melhor para a mulher de lado e reconhecer que o Criador sabe mais.

Uma hermenêutica adequada para as questões de gênero é uma hermenêutica que, ao mesmo tempo que assegura o realismo hermenêutico e a autoridade das Escrituras, assegura também uma ética interpretativa que reconhece a impossibilidade de uma pretensa objetividade, mas que tem esperança na possibilidade de conhecimento com humildade e diligência. Tal abordagem hermenêutica precisa estar fundamentada nos seguintes pressupostos:

- O pressuposto de que a responsabilidade do intérprete é realizar uma leitura educada e recíproca em relação

[22] Ibid., p. 365.
[23] Ibid., p. 433.

ao texto, a fim de que este diga o que tem de dizer, e não imputando ao texto motivos perniciosos.

- O pressuposto de que somente uma abordagem hermenêutica que identifica o significado do texto com a intenção textual incentiva uma atitude ética e moral aceitáveis.
- O pressuposto de reconhecer o direito que o texto tem de manifestar sua própria voz em primeiro lugar.
- O pressuposto da responsabilidade de deixar nossas categorias, esquemas e ideologias de fora da interpretação e permitir que o próprio texto interprete a si mesmo e também a nós.

É importante que quem deseja se aproximar das Escrituras para saber o que elas dizem a respeito das questões da mulher assuma uma postura crítica, humilde e amistosa. Retomando a proposta de Vanhoozer, faz-se necessário, principalmente nesse assunto delicado e controverso da relação de gênero e Escrituras, que o intérprete bíblico esteja preparado para explicar não só a esperança, mas a hermenêutica que traz dentro de si (1Pe 3.15).

A teologia cristã não é teórica, distanciada da vida prática e cotidiana. As lutas enfrentadas pelas mulheres no contexto latino são diferentes das realidades descritas nos livros cristãos femininos disponíveis. A imagem da mulher branca, de classe média, em uma confortável casa suburbana, em sua cozinha ampla e aparelhada com lava-louças, não pode estar mais distante da realidade da mulher que representa a maioria esmagadora do cristianismo de hoje, incluindo a maioria das mulheres cristãs do Brasil.

O evangelho é radicalmente transformador. Para muito além de fazer bem à mulher por meio de uma "reforma do machismo", o evangelho traz as boas-novas sobre o real significado de feminilidade e sobre o valor, a dignidade, a função e a importância da mulher no mundo e no reino. Por meio das Escrituras, encontramos a perspectiva do Criador, que nos liberta das ideias puramente humanas de soluções para a opressão e o sofrimento da mulher.

Ao mesmo tempo que precisamos de uma teologia sistematizada dos princípios bíblicos sobre a questão da mulher, precisamos que essa teologia seja contextualizada, relevante, atual e prática. Uma teologia da mulher construída puramente sobre o fundamento da experiência é condicionada, incapaz de falar por si própria e inútil, pois permanece presa a seus horizontes e não tem o poder de nos fazer enxergar através dos olhos do Criador e nos livrar de nossos cativeiros ideológicos.

No novo cenário descortinado pela realidade da nova cristandade, a mulher é parte importante dentro do corpo de Cristo, e as questões teológicas relativas a seu papel no mundo e no reino são urgentes. Se a questão da teologia da mulher tem sido vista pelos teólogos do Sul, principalmente do Brasil, como tema acessório, a realidade da nova cristandade aponta para a centralidade e vitalidade da questão. A saúde teológica da mulher, que já é a maioria na nova cristandade, representa, em grande medida, a saúde teológica da igreja asiática, africana, latino-americana, brasileira. E uma teologia capaz de responder às questões da mulher da nova cristandade e que contemple os desafios e as necessidades da nova cristandade precisa ser coerente, modesta, contextualizada, atual, prática e, fundamentalmente, bíblica.

2
Esperar é caminhar

> **Débora Otoni**
> é mineira, mãe de Joaquim, Isabel e Cecíclia, e esposa de Marcos Almeida. Mora em Vila Velha desde 2021, depois de uma curta porém produtiva temporada em São Paulo. Hoje, entrega-se às funções do lar, da escrita e de sua comunidade de fé, além de participar de projetos e produções criativas.

"A quem vocês me compararão?
 Quem é igual a mim?", pergunta o Santo.
"Olhem para os céus;
 quem criou as estrelas?
Ele as faz sair como um exército, uma após a outra,
 e chama cada uma pelo nome.
Por causa de seu grande poder e sua força incomparável,
 nenhuma delas ousa se ausentar.
Ó Jacó, como pode dizer que o Senhor não vê o que
 se passa?
 Ó Israel, como pode dizer que Deus não se importa com
 seus direitos?
Você não ouviu?
 Não entendeu?

O Senhor é o Deus eterno,
o Criador de toda a terra.
Ele nunca perde as forças nem se cansa,
e ninguém pode medir a profundidade de sua sabedoria.
Dá forças aos cansados
e vigor aos fracos.
Até os jovens perdem as forças e se cansam,
e os rapazes tropeçam de tão exaustos.
Mas os que confiam no Senhor renovam suas forças;
voam alto, como águias.
Correm e não se cansam,
caminham e não desfalecem.

Isaías 40.25-31, NVI

Há alguns anos eu entrei em choque com esse texto. Foi um daqueles esbarrões que deixam marcas. Sempre li ou ouvi esse texto com certo tom de alívio ou de promessa. Mas, naquele dia, ele veio como um chacoalhão. Foi como se eu me visse no espelho e concluísse: "Débora, você está fazendo tudo errado!".

As palavras finais do profeta nesse capítulo ficaram revirando dentro de mim e me mostrando que havia algo errado em minha jornada de fé. A frase "não se cansam" ecoou em uma alma exaurida, em um corpo fraquejado. Sou casada e na época em que me choquei com este texto ainda tinha "só" duas crianças, trabalhava em uma igreja local em tempo integral e Marcos estava constantemente na estrada. Nossa agenda como sempre agitada e cheia de surpresas.

Em uma época em que nós mulheres supostamente podemos ser e fazer tudo, as muitas opções e portas abertas nos roubam o fôlego e o vigor. É difícil escolher diante dessa situação. Equilibrar os pratos e os papéis no dia a dia não é tarefa fácil.

Na busca por respostas que possam ajudar a equilibrar e diminuir o peso que é ser mulher, mãe, trabalhadora, esposa e assim por diante, os manuais teológicos ou amigos cheios de fé nem sempre tornam as coisas mais fáceis. Os púlpitos não costumam falar muito sobre a vida comum, ordinária. Há dias em que não nos sentimos especiais, e a dura realidade é o que resta.

Ler as palavras de Isaías citadas acima me levou a um momento de catarse. Então, comecei a me perguntar: por que andamos tão cansados? Se as Escrituras prometem que não se cansam os que esperam no Senhor, por que estamos tão exaustos?

Responder que temos uma rotina cheia de compromissos, que fazemos muitas coisas, parece não ser a melhor opção. O profeta fala de um ser humano que corre, que anda, que espera, isto é, que está em pleno funcionamento e se movimentando pela vida. Mesmo assim, ele não se cansa. Qual seria, então, a razão para essa nossa tamanha exaustão?

Um de meus escritores favoritos, Henri Nouwen, conta em um de seus livros a história de alguns amigos seus, trapezistas. Certa vez, eles contaram para Nouwen como funcionava seu trabalho e como faziam aqueles perigosos movimentos. Um dos amigos disse: "Aquele que se solta nunca deve tentar se segurar. Deve esperar em absoluta confiança que seu colega o segure". O que se lança no ar deve permanecer imóvel, esperando que o companheiro o apanhe. Ele não se debate. Ele espera estático, como foi ensinado, pois sabe que alguém o apanhará no ar.

FONTE PARA A VIDA

Ler essa história me ajudou a ter uma ideia e traçar um caminho para encontrar a razão de nosso esgotamento. Estamos fadigados porque, ao contrário do trapezista que se lança em completa dependência, nós nos debatemos no ar. Não confiamos que o outro lado cumprirá o seu papel de nos segurar. Seja em nossos relacionamentos humanos, seja em nosso relacionamento com Deus, não sabemos confiar.

O problema do cansaço não é um problema de excesso ou do tipo de atividades e papéis que desempenhamos. O problema real está em por que fazemos as coisas que fazemos e como as fazemos.

Para mim, é impossível pensar a respeito disso sem me lembrar daquele episódio de Maria e Marta, narrado em Lucas 10.38-42. A história diz respeito à postura de Maria e Marta diante de Jesus. Enquanto Maria se ocupou somente em ouvir as palavras de Jesus, Marta ficou preocupada com os afazeres domésticos, esquecendo-se do que era mais importante. O problema ali não era que a casa estava cheia nem o tipo de serviço que Marta estava fazendo. Marta estava cansada; seu coração azedou, porque andava demasiadamente ansioso. Marta estava exaurida, porque esqueceu quem estava no comando. Ela estava fazendo a coisa certa — afinal, a casa estava cheia. Porém, o que parecia serviço ao próximo era serviço a ela mesma. E isso é exaustivo. É cansativo cumprir as tarefas somente porque alguém tem de fazê-las.

Martin Lloyd-Jones dizia que a grande característica do cristão é saber por que faz o que faz. A questão está na fonte de nossas motivações e crenças, naquilo que nos leva a agir e tomar decisões. Em outras palavras, nossa espiritua-

• 44 •

lidade precisa ser passada a limpo se quisermos "voar alto como os que não se cansam".

Falar sobre espiritualidade é falar sobre o que dá vida e ânimo. A espiritualidade trata daquilo que impulsiona e motiva, daquilo que é útil para sustentar e desenvolver a vida de fé. É o que nos instiga a nos aprofundarmos e nos aperfeiçoarmos naquilo em que já cremos. Espiritualidade é a prática na vida real da fé religiosa de uma pessoa, conforme definiu Alister McGrath; ou seja, é de onde sai a motivação e a razão para nos movermos naquilo em que dizemos crer. Não é apenas uma lista de coisas a fazer ou um conceito na dimensão das ideias; trata-se de como concebemos e exercitamos nossa fé. É a compreensão da realidade e o desdobramento disso em ações, escolhas, palavras e relações.

Espiritualidade é todo o nosso esforço para alcançar e sustentar o relacionamento com Deus, o que inclui tanto nossas ações públicas como nossa devoção no particular/secreto. Espiritualidade, portanto, é como nós, individualmente ou em grupo, aprofundamos nossa experiência com/de Deus ou como fazemos para "praticar a presença de Deus", usando a célebre expressão de Irmão Lourenço.

Partindo dessas premissas, não é difícil concluir que a maneira como exercitamos nossa espiritualidade interfere também em nossa condição como pessoas: cansados, exauridos e estafados, ou dispostos, animados e ativos. Obviamente, serão ruins as consequências de relacionar-se equivocadamente com a própria espiritualidade. Por isso, não é exagero dizer que boa parte dos problemas emocionais enfrentados pelas pessoas hoje decorre de um desequilíbrio ou de uma desinformação sobre como e onde devemos colocar e usar tudo o que já sabemos, já ouvimos, já sentimos e até já fizemos para e em nome de Deus.

Lendo e relendo o trecho do profeta Isaías citado acima, e considerando os escritos de autores cristãos sobre o assunto, encontrei algumas pistas que podem servir de auxílio nessa busca por uma espiritualidade correta, saudável e animadora. Aprendi, por exemplo, que o cansaço não é só fruto de nosso ativismo; é também fruto de uma ortodoxia vazia que deixa o coração e, portanto, todo o resto fora do lugar. Vivemos nos debatendo porque nos falta uma espiritualidade equilibrada que atinja a razão, as emoções e o cotidiano.

Não confiamos que Deus está segurando nossa vida. E essa falta de fé não se deve apenas a uma falta de conhecimento, mas se deve sobretudo, como expressou o profeta, a uma falta de atenção. Estamos tão ocupados em reclamar, tão exauridos pelo desespero, que não vemos os movimentos da graça à nossa volta e dentro de nós.

Creio que a cura para o esgotamento se encontre, para muitos de nós, no ato de nos forçarmos a parar alguns minutos do dia e olhar ao redor. Respirar fundo e agradecer. As práticas e as disciplinas espirituais, bem como os ritos e símbolos, precisam regressar ao nosso dia a dia, porque sem eles continuaremos desprovidos de uma espiritualidade equilibrada e sadia. O poder do evangelho não está em rituais e teorias, é verdade, mas alguma medida de envolvimento nas práticas e disciplinas espirituais nos ajudará a (re)descobrir o que o cristianismo veio verdadeiramente nos revelar: Jesus Cristo, o Filho do Deus vivo.

Deus responde ao desespero do povo da época de Isaías falando sobre si mesmo. Nosso cansaço tem sido cada vez maior, porque estamos tentando resolver questões que simplesmente não precisam ser respondidas agora. O que precisamos de fato saber em todas as dimensões de nossa vida é quem ele é, o que ele fez, faz e fará, e quem somos nele e por causa dele. Conforme expressou Martyn Lloyd-Jones, o verdadeiro conhecimento cristão é conhecimento de uma pessoa. E porque é conhecimento de uma pessoa, leva ao amor, porque ele é amor.

O que nos exaure é imaginar que nossa salvação virá do comportamento religioso, do rito pelo rito, do fazer isto ou deixar de fazer aquilo. A prática religiosa diz respeito a comportamentos que podem ser vistos por olhos humanos. Mas a espiritualidade equilibrada tem a ver com aquilo que habita no interior, com a profundidade do coração.

A exaustão com a vida e a rotina pode ser o sinal de um coração cansado e seco. A pessoa que vive apenas religiosamente gasta suas energias com o desempenho, sempre tentando fazer tudo certo. Mas quando esse comportamento não brota do coração, do entendimento da grandeza, bondade, beleza, graça e amor de Deus, ele é falso. E isso cansa.

O tipo de espiritualidade que gerará em nós confiança e nos livrará do cansaço é aquele que existe em três dimensões: a dimensão da razão, da experiência e da prática.

Com frequência, nas páginas da Bíblia Sagrada, vemos um erro repetitivo e cansativo do povo de Israel: eles sempre falhavam moralmente, porque haviam se esquecido da história, do que Deus já havia revelado a eles sobre si mesmo. Fracassavam por não saberem quem eram nem porque eram o que eram. A salvação é uma dádiva; estarmos em Deus é trabalho puro e exclusivo de Cristo. Fomos salvos por esse amor. Não há motivo para cansaço. O maior esforço foi feito por ele na cruz.

Pelo único e definitivo sacrifício de Cristo, fomos feitos filhos e herdeiros de Deus. Porém agora, nesta vida, devemos viver de modo digno de nossa vocação e chamado (Ef 4.1; Hb 10.10-14). Que chamado é esse? Que vocação é essa? O apóstolo Paulo nos responde:

> Como prisioneiro no Senhor, rogo-lhes que vivam de maneira digna da vocação que receberam. Sejam completamente humildes e dóceis, e sejam pacientes, suportando uns aos outros com amor. Façam todo o esforço para conservar a unidade do Espírito pelo vínculo da paz. Há um só corpo e um só Espírito, assim como a esperança para a qual vocês foram chamados é uma só; há um só Senhor, uma só fé, um só batismo, um só Deus e Pai de todos, que é sobre todos, por meio de todos e em todos.
>
> Efésios 4.1-6, NVI

Ouvi esta breve explicação em uma mensagem do pastor Ed René Kivitz e a anotei para nunca mais esquecer: "Que chamado é esse do qual o apóstolo Paulo fala? O chamado à reconciliação, à paz, à unidade. Ele nos suplica que façamos todo o esforço para conservarmos a unidade do Espírito, pelo vínculo da paz". E, para viver essa vocação de forma digna, precisaremos parar de agir ou confiar por puro instinto ou com base apenas em nossos sentimentos e impulsos.

A vida cristã deve ser vivida com inteligência. Lloyd-Jones dizia que o cristão não deve fazer coisas sem saber por que as faz. Ou seja, viver a espiritualidade bíblica não é cair em sentimentalismo barato. Se entendemos que a nossa espiritualidade é para ser vivida também com a inteligência e com a razão, procuraremos viver com sabedoria.

O cristianismo é, também, racional. O próprio Cristo disse: "Ame o Senhor, o seu Deus de todo o seu coração, de toda a sua alma e de todo o seu entendimento" (Mt 22.37, NVI). Só conseguiremos ter uma vida coesa com nosso Pai se entendermos que o evangelho age tanto em nossa mente como em nosso coração. Deus nos dotou com capacidade cognitiva para que possamos adquirir e acumular conhecimento, inclusive dele mesmo por meio de sua revelação. É justamente o conhecimento de Deus proporcionado pela sã doutrina que nos ajudará a viver. É por estar distante de Deus, separado pelo pecado, que o ser humano vive sem conhecer a Deus, afundado em mazelas e embaraços.

Do mesmo modo que a espiritualidade bíblica não se resume ao conhecimento racional de Deus, o uso da razão tampouco nos fará céticos ou insensíveis. Dedicar-se a saber quem Deus é e o que ele faz nos dará mais firmeza e certezas. O conhecimento também nos levará a um amor mais profundo e mais verdadeiro pelo Eterno. Mais uma vez, Lloyd-Jones nos ajuda ao dizer que não pode haver amor sem conhecimento. Não está de acordo com a natureza da alma humana amar um objeto que é inteiramente desconhecido. Quando conhecemos, amamos; e, quando amamos, nos entregamos confiadamente. A espiritualidade bíblica nos levará a esse nível de amor.

O conhecimento proposto pela espiritualidade é, usando a ideia de Lloyd-Jones, ter domínio sobre a verdade e

FONTE PARA A VIDA

também ser dominado pela verdade. É um tipo de saber que não nos torna arrogantes e prepotentes, mas que nos faz coesos, nos põe sobre nossos pés, nos dá força e vigor. Se conhecemos muito, mas esse conhecimento não traz resultados concretos para todas as áreas de nossa vida, o resultado é uma aberração.

A espiritualidade de que precisamos para viver nosso cotidiano nada extraordinário passa pela razão, atingindo a emoção. O conhecimento sobre Deus e o estudo das doutrinas devem nos conduzir ao amor, ao encanto, ao louvor. A emoção verdadeira brota do entendimento da verdade. Enquanto a falsa emoção nos deixa exaustos e não afeta nosso modo de viver, a emoção verdadeira nos leva à ação. A verdadeira espiritualidade reformada é aquela que atinge e envolve a mente e o coração. E, por fazer isso, ela transforma a maneira como nos comportamos. A religiosidade nos levará ao moralismo e nos deixará cansados, ocupando-nos com as virtudes das coisas que fazemos e com suas consequências sociais/morais. Mas viver uma vida que não se afadiga tem a ver com comportar-se a partir do interesse em Cristo, em Deus. É algo que começa dentro de nós — mente e coração — e transborda naturalmente para que os outros possam ver.

Nós, o povo de Deus, precisamos aprender novamente de Isaías quem Deus é e quem nós somos. Alcançar essas duas verdades nos ajudará a andar menos cansados, menos errantes. "Deus está sentado muito acima do globo terrestre. As pessoas parecem simples formigas diante dele" (Is 37.21-24, *A Mensagem*). Quando entendemos a grandeza de Deus e a nossa insignificância, somos levados a

• 50 •

glorificá-lo e aprendemos a confiar. Quem confia age com sabedoria. Quem se encontra com a verdade em sua razão não precisa de alguém lhe dizendo o que fazer, como se relacionar, como viver. Somente uma espiritualidade bíblica, equilibrada e sadia gera confiança, e só confiando não andaremos mais cansados.

3
Literatura, criatividade e a maior história já contada

— **Gabriela Bevenuto** —
é técnica em Telecomunicações pelo Instituto Federal de Ciência, Educação e Tecnologia do Ceará e estudante de Comunicação Social. Há oito anos vem divulgando na internet a boa literatura cristã. É casada com Pedro e mãe de Timóteo.

Deus está contando uma história. Como um autor, ele orquestra e tece a trama do universo. Mas, sendo o Grande Autor, ele sustenta a história pela palavra de seu poder. Nas palavras de Joe Rigney: "Deus escreve o livro da história, e então o lê em voz alta trazendo-o à existência. Ele põe a caneta no papel e faz um plano para as eras, e em seguida executa uma representação dramática de seu poema épico que é tão poderosa que suas palavras de fato encarnam-se".[1] Talvez você prefira as palavras do escritor de Hebreus: "Ele, que é o resplendor da

---

[1] Joe Rigney, *As coisas da terra: Estimar a Deus ao desfrutar de suas obras* (Brasília, DF: Monergismo, 2017), p. 56.

glória e a expressão exata do seu Ser, *sustentando todas as coisas pela palavra do seu poder*" (Hb 1.3, grifos meus).

Nada foge das mãos daquele que sustenta a história. Vida. Morte. Guerras. Tragédias. Riso. Tudo isso faz parte da narrativa mantida pelo Senhor do universo. Alerta de *spoiler*: ao final dessa narrativa, o Cordeiro vence; a criação, antes manchada pelo pecado de nossos primeiros pais, é totalmente redimida; e, para completar, há a celebração do maior casamento jamais visto! Certo, isso não foi um *spoiler*. Certamente você já conhecia o final. Ele, o Criador, deixou isso escrito para que você tivesse esperança: "Pois tudo quanto, outrora, foi escrito para o nosso ensino foi escrito, a fim de que, pela paciência e pela consolação das Escrituras, tenhamos esperança" (Rm 15.4).

Deus, como o Grande Autor, conduz a história "segundo seu beneplácito que propusera em Cristo, de fazer convergir nele, na dispensação da plenitude dos tempos, todas as coisas, tanto as do céu como as da terra" (Ef 1.9-10). Eu sempre fico maravilhada ao imaginar como Deus guia a história da humanidade de acordo com seu propósito. Mas, em meio a essa grande história, ele age de maneira providente na vida de cada um de seus filhos. Um de meus exemplos favoritos dessa ação divina é a história de uma família que viveu há pouco mais de dois mil anos na região montanhosa da Judeia: Zacarias e Isabel. Esse casal vivia irrepreensivelmente em todos os preceitos e mandamentos do Senhor (Lc 1.6b). No entanto, sofriam, porque não podiam ter filhos, visto que Isabel era estéril (Lc 1.25). Deus agiu com o casal de maneira graciosa e particular, concedendo-lhes um filho que foi chamado João. Sim, Deus agiu de maneira particular na vida dessa família, mas, por meio dela, agiu também na macro-história, a história da redenção, usando o profeta João Batista para preparar o caminho do Filho de Deus, a fim de anunciar o redentor que haveria de vir. O próprio Zacarias demonstrou a grandiosidade da ação de Deus na história em um dos cânticos mais belos das Escrituras, o *Benedictus*. Quero encorajar você a ler Lucas 1.67-79 e meditar na beleza da soberania do Grande Autor, que governa todas as coisas para o louvor de sua glória e que, em sua magnitude, age providentemente nessa trama para o bem e a alegria de seus filhos.

O Grande Autor se revela

Esse Deus criador e sustentador também é o Deus que se revela a suas criaturas. E como ele resolveu se revelar de maneira especial? Por meio de um livro. Esse fato por si só deveria fazer de nós, cristãos, leitores ávidos. Nosso Deus inspirou seres humanos como nós a escreverem um livro. Esse livro é lâmpada e luz para nossa vida. Somos encorajados a meditar nele dia e noite. De fato, somos o povo do livro. Esse livro poderia ser um conjunto de regras, ou mesmo uma longa lista descritiva sobre os atributos de Deus, uma verdadeira teologia sistemática, mas, ao contrário, vemos que Deus revelou a si mesmo numa obra que contém os mais diferentes gêneros literários, foi escrita a várias mãos e está cheia da beleza daquele que a inspirou. Que magnífico!

Esse livro nos mostra que Deus se revelou na história. Como um escritor habilidoso, vemos Deus agindo em batalhas, sacrifícios, nascimentos, casamentos, vitórias e derrotas. Em meio a essa narrativa que deixa qualquer escritor no chinelo, Deus transforma até mesmo mal em bem para que seu propósito se cumpra (Gn 50.20). Foi assim com José, que ao ser vendido como escravo pelos próprios irmãos torna-se agente da providência divina apesar do mal que intentaram contra ele. E, sem dúvidas, ele age assim conosco também, mesmo que, em meio às agruras da vida, não consigamos enxergar com clareza.

O ápice da revelação de Deus a suas criaturas foi o milagre da encarnação. Na encarnação, o autor entrou na história a fim de resgatar seus personagens desgarrados. Deus não abandonou suas criaturas. Ele construiu um caminho (de fato, ele se tornou o novo e vivo caminho) pelo qual nossa comunhão com ele mesmo foi restabelecida. Que história de amor poderia ser mais gloriosa? Um noivo que se esvaziou de si, suportou a humilhação e o horror, e enfrentou até a morte, tudo por sua noiva. Essa noiva era digna do noivo? Definitivamente não. Mas, apesar de todas as suas transgressões, o noivo prometeu que irá apresentá-la "gloriosa, sem mácula, nem ruga, nem coisa semelhante, porém santa e sem defeito" (Ef 5.27). Nós, como noiva escolhida, podemos descansar na certeza de que seu amor por nós é leal. Sabe quando você está lendo um livro muito bom e fica receoso de se decepcionar com o final? No nosso caso, não precisamos temer. O drama da redenção caminha para um final glorioso.

Criatividade: reflexo da imagem de Deus em nós

O Deus que criou o universo criou-nos para que criássemos algo no mundo.

Thaddeus Williams

Deus, como criador, chamou tudo à existência *ex nihilo* (expressão bonita em latim para "do nada"). Nós, como criaturas feitas à sua imagem, também criamos coisas. Não do nada, é claro. Antes, cultivamos e desenvolvemos a criação de Deus. Música, ciência, literatura, satélites, joguinhos de celular e tudo mais, são fruto do reflexo do caráter do Criador de todas as coisas, que imprimiu no ser humano essa capacidade. Esse processo de cultivar a terra pode ser entendido como o chamado mandato cultural expresso em Gênesis 1.28: "E Deus os abençoou e lhes disse: Sede fecundos, multiplicai-vos, enchei a terra e sujeitai-a; dominai sobre os peixes do mar, sobre as aves dos céus e sobre todo animal que rasteja pela terra".

Esse mandamento, bem como os três primeiros capítulos de Gênesis, são cruciais para o entendimento de nossa atividade criativa no mundo. Nesse ponto, podemos subir nos ombros de gigantes a fim de enxergar mais longe, usando o modelo criação/queda/redenção.

Criação

Em primeiro lugar, ao ler Gênesis 1, percebemos a repetida afirmação de Deus de que a criação é *boa*. Essa criação é o resultado do transbordamento do amor que sempre existiu entre a Trindade. Michael Reeves, em seu maravilhoso livro *Deleitando-se na Trindade*, nos diz: "A própria natureza do Deus triúno é ser efusivo, ebuliente e sobejante; o Pai regozija-se em ter outro a seu lado, e encontra a própria identidade ao extravasar esse amor. Criação significa a expansão, difusão e explosão externa desse amor".[2] Logo, sendo fruto

[2] Michael Reeves, *Deleitando-se na Trindade* (Brasília, DF: Monergismo, 2014), p. 65.

desse amor, a criação só pode ser boa, muito boa. Pare e pense um minuto. Não é maravilhoso sermos fruto do amor eterno? Não é maravilhoso que Deus nos criou para participarmos da dança do amor trinitário? Que verdade bela!

Se a criação é boa, e nós, os encarregados de desenvolver as potencialidades dessa criação (Gn 1.28), fomos capacitados para tal tarefa uma vez que fomos criados à imagem de Deus (Gn 1.26), podemos entender que o propósito de Deus ao colocar Adão e Eva no Éden era que eles descobrissem e desenvolvessem o potencial do mundo criado.

Queda

Tudo estava indo muito bem. Criação: bom. Homem e mulher feitos à imagem de Deus: muito bom. Até que nossos primeiros pais caíram, levando consigo toda a criação. Essa queda não foi um tombo qualquer. Foi *cósmica*. Desde então, todas as criações humanas passaram a ser maculadas pelo pecado. A relação do homem com Deus, do homem com os outros homens e do homem com a criação foi corrompida. Podemos ver traços de rebeldia por todo lado. Música, esportes, literatura, negócios — desde aquele fatídico dia com a mancha do pecado. A criação geme e anseia por redenção desde a queda (Rm 8.19-22). E, uma vez que a queda foi *cósmica*, necessitamos de uma redenção *cósmica*.

Redenção

Ainda em Gênesis, Deus anunciou seu plano para redimir a humanidade e a criação (Gn 3.15). Como vimos anteriormente, o drama da história da redenção vem sendo conduzido por mãos soberanas. Muitas vezes, tendemos a observar apenas o fato de que Deus, em Cristo, veio buscar o homem perdido, mas o plano de redenção de Deus abrange toda a criação. Um dos meus textos preferidos das Escrituras está em Colossenses 1.19-20: "porque aprouve a Deus que, nele, residisse toda a plenitude e que, havendo feito a paz pelo sangue da sua cruz, por meio dele, reconciliasse consigo mesmo todas as coisas, quer sobre a terra, quer nos céus".

Que maravilha! Deus está reconciliando consigo todas as coisas. Quer saber de outra notícia maravilhosa? Ele resolveu nos incluir nesse plano de redenção. Ele nos redimiu, restaurou nossa comunhão com ele mesmo, e agora nós podemos ser agentes dessa redenção cósmica. A respeito disso, Tullian Tchividjian diz:

> Deus quer que nos juntemos a ele em seu trabalho de renovar pessoas, lugares e coisas. Deus deseja que aqueles a quem ele redimiu trabalhem para transformar este mundo quebrado em todas as suas estruturas falidas — famílias, igrejas, governos, negócios — de tal forma que reflitam uma resposta à Oração do Senhor: "Venha o teu reino; seja feita a tua vontade, assim na terra como no céu" (Mateus 6.10). Devemos preencher todas as estruturas da terra com o conhecimento de Deus, nosso criador e redentor.[3]

Se Deus não desprezou sua criação, antes veio restaurá-la, quem somos nós para desprezá-la? Devemos abraçar o plano original de Deus, entendendo nosso papel de proclamar

---

[3] Tullian Tchividjian, *Fora de moda: Diferente para fazer diferença* (São Paulo: Cultura Cristã, 2010), p. 67.

o senhorio de Cristo a este mundo caído. Isso significa pregar as boas-novas de salvação e nos engajar em todas as esferas da existência, para a glória de Deus.

Infelizmente, muitas pessoas acabam fazendo o caminho inverso, acreditando que os cristãos devem buscar algum tipo de vida asceta, separando-se o máximo possível da cultura. Tal fato, além de não encontrar amparo bíblico, é impossível. Nós produzimos cultura a todo momento. Ao combinar alimentos em um prato especial, tomar um remédio ou escrever um bilhete, estamos desenvolvendo habilidades dadas por Deus e cultivando a criação. Aqui é útil a definição simples de cultura proposta por Joe Rigney: "criação + esforço criativo do homem = cultura".[4]

Podemos (e devemos) aplicar essa ideia a todas as áreas da vida. Entender que fomos dotados de criatividade pelo Criador de todas as coisas deve nos impulsionar a um engajamento cultural para a glória de Deus. Devemos produzir boa música, boa comida, belos prédios, bons softwares e tudo o mais tendo em mente que evidenciamos a imagem divina em nós através da criação e produção dessas coisas.

Quando cristãos se eximem de produzir cultura a partir de uma cosmovisão bíblica, outros produzirão a partir de cosmovisões seculares. Hans Rookmaaker é certeiro quanto a esse fenômeno: "se quisermos a recristianização da Europa e dos Estados Unidos [e de qualquer lugar do mundo, inclusive o Brasil], isso não acontecerá se as pessoas não conseguirem encontrar um bom livro em certa área do conhecimento e descobrir que ele foi produzido

---

[4] Rigney, *As coisas da terra*, p. 160.

por cristãos. O mundo não se tornou ateu porque os ateus pregaram arduamente. Eles tomaram a liderança em muitas áreas. Eles deram o tom".[5]

Quando cristãos não conhecem as implicações de sua cosmovisão e não abraçam o mandato cultural a partir dela, o resultado é o que temos visto: o secularismo dominando as mais diversas áreas do conhecimento e da vida.

Com a literatura não é diferente. Precisamos produzir boa literatura para a glória de Deus. Nós temos a melhor motivação para criar nossas próprias narrativas: entendemos que o Autor da grande narrativa da história nos dotou de criatividade para tal tarefa.

Cristianismo e ficção

Emilio Garofalo, em artigo intitulado "Ler ficção é bom para pastor", nos lembra que "todo ser humano ao criar, está seguindo um impulso dado por Deus".[6] Se você gosta de ler ficção, certamente já ficou se perguntando como os autores conseguem criar tramas tão complexas e histórias tão geniais. Tramas recheadas de mistério e enigmas intrincados, universos tão diferentes do nosso, criaturas exóticas, idiomas criados exclusivamente para uma narrativa. Quanta criatividade! Esses autores estão seguindo

[5] H. R. Rookmaaker, *A arte não precisa de justificativa* (Viçosa, MG: Ultimato, 2010), p. 35.
[6] Emilio Garofalo, "Ler ficção é bom para pastor: o lugar da leitura ampla e variada na formação do pregado", in Felipe Sabino de Araújo Neto (org.), *Coram Deo: A vida perante Deus — Ensaios em honra a Wadislau Gomes* (Brasília, DF: Monergismo, 2017), p. 313.

FONTE PARA A VIDA

o impulso criativo dado por Deus. O ser humano usa sua habilidade de criar narrativas para comunicar verdades (e mentiras, infelizmente), moldar seus leitores e ensinar valores e virtudes.

Um belo e conhecido exemplo do poder das histórias para comunicar valores e visões de mundo está em *As crônicas de Nárnia*. C. S. Lewis escreveu essa série de ficção pensando em preparar caminho para o evangelho. Nos livros, verdades como culpa, sacrifício, nobreza, lealdade, bem e mal, são expostas. Isso é inculcado na cabeça dos leitores. Quando eles depararem com o evangelho e a realidade do pecado e da graça salvadora, estarão mais preparados para abraçar essas verdades. Joe Rigney, em seu livro *Live Like a Narnian* [Viva como um narniano], fala sobre o poder de tais histórias: "Uma criança (ou adulto) que vive nessas histórias terá desenvolvido os padrões de pensamento e afeição e estará bem preparada para abraçar o Verdadeiro, o Bom e o Belo (ou seja, abraçar Jesus Cristo) quando finalmente os encontrar (Ele!). Como João Batista, Lewis e seu elenco de narnianos terão preparado o caminho".[7]

Lembre-se: em nossos dias, estamos cada vez mais expostos ao relativismo, à ideia de que bem e mal são meros pontos de vista. Em uma realidade como essa, livros que reconhecem o mal como mal e o bem como bem se fazem extremamente necessários. Quando o evangelho for apresentado a pessoas que compreendem esses valores e verdades, elas poderão entender com mais clareza sua natureza. Por isso, nosso tempo

---

[7] Joe Rigney, *Live like a Narnian: Christian Discipleship in Lewis's Chronicles* (Minneapolis: Eyes & Pen Press, 2013), edição Kindle.

carece de bons escritores cristãos. Não apenas aqueles que escrevem boa teologia, mas aqueles que tecem histórias capazes de apresentar uma visão de mundo bíblica a seus leitores, moldando a imaginação deles a fim de, assim como Lewis, preparar corações para o evangelho.

Agora, gostaria de fazer uma observação: não leia livros de escritores cristãos apenas procurando valores e analogias ao cristianismo. Lembre-se que boas histórias também significam diversão e entretenimento. Graças a Deus por isso! Tenha isso em mente antes de sair à caça de significados ocultos nos livros. Relaxe e aproveite a leitura!

Graça comum e a literatura

E quanto a livros escritos por autores que não têm compromisso com uma visão cristã de mundo? Devemos simplesmente descartá-los? De maneira nenhuma! Como já vimos, o pecado deixa um rastro em todas as criações humanas, mas a maldição do pecado não foi suficiente para destruir totalmente a imagem de Deus no ser humano. Mesmo o homem caído que está distante de Deus é capaz de produzir boa literatura. De fato, muitos clássicos da literatura foram escritos por mentes caídas em rebeldia contra Deus. Isso é possível em virtude da graça comum concedida a todos os homens, que refreia o potencial do mal no coração e permite que mesmo pessoas distantes de Deus produzam coisas boas como ciência, tecnologia e arte. Wayne Grudem, comentando sobre a ação da graça comum na esfera intelectual, escreve:

A graça comum de Deus na esfera intelectual também resulta na capacidade de captar a verdade e distingui-la do erro e de experimentar crescimento em conhecimento que pode ser usado na investigação do universo e na tarefa de dominar a terra. Isso significa que toda ciência e tecnologia desenvolvida pelos não cristãos é resultado da graça comum, permitindo-lhes fazer descobertas e invenções incríveis.[8]

Assim, podemos ver também na literatura uma clara manifestação da atuação da graça comum. Além desse motivo, destaco a seguir três boas razões para você consumir literatura escrita por não cristãos.

Boa literatura vem de Deus, não importa quem a escreve

Tiago, em outro de meus textos preferidos da Bíblia, diz que "toda boa dádiva e todo dom perfeito vem do alto, descendo do Pai das luzes" (Tg 1.17, NVI). Esse texto norteia minha vida e enche meu coração de gratidão. Ao contemplar uma bela paisagem, tomar um bom café ou terminar um livro incrível, sei que posso dar graças ao Pai das luzes por isso. Tamanha é sua graça que ele usa até os ímpios para produzir coisas boas! Podemos ler bons livros e glorificar a Deus, porque ele é a fonte de toda beleza, verdade e bondade que encontramos nos livros ou em qualquer lugar. Novamente, gratidão enche meu coração. Sou grata pelos autores, pelas histórias, pela criatividade e genialidade que

---

[8] Wayne Grudem, "A graça comum", *Monergismo*, <http://www.monergismo.com/textos/pneumatologia/graca_comum_grudem.htm>.

encontro nelas. Isso é um reflexo da genialidade do próprio Criador.

Mas cuidado: não podemos partir para o extremo de consumir qualquer tipo de literatura sem nenhum critério. Precisamos analisar o que lemos (como tudo na vida) por uma perspectiva bíblica. Tudo que é posto à nossa frente precisa ser confrontado com as Escrituras; por isso, precisamos conhecer de maneira sólida a nossa fé. Cautela e equilíbrio são palavras-chave ao consumirmos qualquer produto cultural.

Ler para compreender o desespero do homem sem Deus

Liev Tolstói narra, em *Uma confissão*, sua busca por algum tipo de significado para a vida. O livro tem um tom profundamente desesperado. O autor cogita por diversas vezes o suicídio como a única solução lógica para a falta de significado da existência humana. Eis um dos trechos de maior agonia no relato de Tolstói: "Minha vida parou. Eu podia respirar, comer, beber, dormir, porque não podia ficar sem respirar, sem comer, sem dormir; mas não existia vida, porque não existiam desejos cuja satisfação eu considerasse razoável".[9]

Podemos ver alguns reflexos dessa agonia também em suas obras de ficção. Tolstói foi bastante honesto ao perceber que as coisas aqui na terra, por melhores que sejam, não têm um sentido em si mesmas. Infelizmente, em seu relato, o autor demonstra que não conseguiu olhar acima

---

[9] Liev Tolstói, *Uma confissão* (São Paulo: Mundo Cristão, 2017), p. 35.

do sol, para o bom Doador de todas as coisas, aquele que dá sentido a todas elas.

Ao contrário de Tolstói, que declarou claramente sua agonia, a maioria dos autores não reconhece o estado da própria alma; por isso, podemos encontrar na ficção escrita por eles lentes para enxergar o estado de desespero do homem sem Deus. Isso nos levará a desenvolver empatia e compaixão pelos perdidos. Emilio Garofalo, ao discorrer sobre esse assunto, nos diz que é necessário considerar "a importância de conhecer o pensamento caído e nisso sentir real empatia pelo mundo quebrado em sua tristeza e rebeldia, apontando mais sabiamente para Cristo".[10] Ao ler sobre o vazio existencial em muitas histórias, notamos um clamor por redenção. Podemos lembrar de nossa própria condição sem Deus e de como éramos sem Cristo (Ef 2.12). Precisamos de envolvimento emocional para comunicar a este mundo caído a verdade do evangelho. Francis Schaeffer, ao falar sobre a proclamação da verdade a um mundo caído, afirma que precisamos ter lágrimas nos olhos, assim como Jeremias, o profeta chorão.[11] Muitas vezes, acabamos tão rodeados por uma atmosfera cristã, com irmãos em Cristo sempre à nossa volta, que não temos oportunidade de desenvolver empatia verdadeira por aqueles que estão sem esperança, longe da alegria verdadeira. Ler ficção nos ajudará a amplificar essa empatia e compaixão por aqueles que se encontram nas trevas.

[10] Garofalo, "Ler ficção é bom para pastor", p. 309.
[11] Francis A. Schaeffer, *Morte na cidade: A mensagem à cultura e à igreja que deram as costas a Deus* (São Paulo: Cultura Cristã, 2003), p. 47.

Ler como forma de familiarizar-se com diferentes visões de mundo

Paulo, quando esteve em Atenas, usou um recurso interessante a fim de comunicar o evangelho àquele povo que nada sabia a respeito do Messias: a filosofia dos próprios atenienses. Ele foi sagaz ao ler a cosmovisão dos atenienses e encontrar um ponto de contato (como diria Francis Schaeffer) para anunciar a Cristo: "Então, Paulo, levantando-se no meio do Areópago, disse: Senhores atenienses! Em tudo vos vejo acentuadamente religiosos; porque, passando e observando os objetos de vosso culto, encontrei também um altar no qual está inscrito: AO DEUS DESCONHECIDO. Pois esse que adorais sem conhecer é precisamente aquele que eu vos anuncio" (At 17.22-23).

Semelhantemente, podemos usar a literatura escrita por não cristãos como uma poderosa forma de compreender seu modo de enxergar o mundo. Mesmo que tenhamos contato com muitas pessoas descrentes, é humanamente impossível conhecer exaustivamente seu pensamento e sua cosmovisão. A leitura tem papel primordial nessa jornada de conhecer diferentes crenças, lugares, culturas e costumes sem que precisemos nós mesmos vivenciar tudo isso. C. S. Lewis foi certeiro ao dizer: "lendo a grande literatura, torno-me mil homens e ainda permaneço eu mesmo".[12] Boa literatura nos habilita a identificar as cosmovisões seculares e nos treina para expor as contradições dessas cosmovisões, confrontando-as com o evangelho.

---

[12] C. S. Lewis, *Um experimento na crítica literária* (São Paulo: UNESP, 2009), p. 121.

FONTE PARA A VIDA

***

Chegamos ao final deste breve capítulo. Minha oração é que o Senhor da história levante leitores ávidos, gratos pelas boas histórias que leem, conscientes de que Deus é a fonte de toda beleza e criatividade. Que ele nos conceda coragem para abraçar nossa tarefa de cultivar e desenvolver a terra. Que ele nos dê sabedoria para identificar os traços pecaminosos nos livros que lemos, lembrando-nos assim de que cada aspecto da existência carece de redenção. Que ele nos aquiete o coração e nos ensine que, mesmo quando as piores coisas acontecem, nada foge de seu controle. Podemos descansar, pois a história da redenção está em boas mãos. Já sabemos o final dessa história e podemos celebrar, pois ele será glorioso.

4
A fábrica mais antiga do mundo

Josana Oliveira
é formada em Teologia pela Faculdade Teológica Sul
Americana, Londrina/PR. Técnica em Design de Interiores,
adora trabalhos manuais, especialmente a arte da boa
cozinha. É casada com Leonardo Oliveira e mãe de Sarah,
Julie e Maya. Atualmente, moram no Texas, EUA.

Eu sou o SENHOR, o teu Deus, que te tirou do Egito, da terra da escravidão. Não terás outros deuses além de mim.

Êxodo 20.2-3, NVI

O coração humano toma coisas boas como uma carreira de sucesso, amor, bens materiais, e até a família, e faz delas seus bens últimos. Nosso coração as diviniza como se fossem o centro de nossa vida porque achamos que podemos ter significado e proteção, segurança e satisfação se as alcançarmos.

Timothy Keller

Há alguns anos, visitei uma grande olaria nos arredores de Brasília. Na época, estava à procura de pequenos potes de barro para confeccionar velas aromáticas. A proprietária da olaria mostrou-me o galpão cheio de artigos de barro e, para minha surpresa, a grande maioria dos potes e pratos se destinava aos rituais de candomblé que aconteciam na cidade. Fiquei impressionada com a alta demanda de produtos e com a descrição de seu uso nos rituais. Inúmeras oferendas são feitas em pratos de barro que são descartados logo depois. Para alguém que teve educação cristã e sempre transitou no contexto da igreja protestante, tudo aquilo me pareceu um tanto surreal, mesmo tendo estudado outras religiões na faculdade teológica.

Fora do contexto da igreja, quase não ouvimos discussões a respeito da adoração e, no contexto religioso, ela se resume a algumas formas práticas pelas quais os fiéis demonstram sua devoção. Na igreja cristã, por exemplo, quando se fala de adoração, quase sempre se refere à música no culto coletivo. Entretanto, não é difícil nem vergonhoso para qualquer um identificar alguns de seus "ídolos", sejam estes figuras públicas, equipes esportivas, ideologias ou objetivos de vida.

Os dois primeiros dos Dez Mandamentos têm como cerne a adoração. O primeiro aponta para o próprio Deus como verdadeiro e único digno de adoração e devoção (Êx 20.3). O segundo proíbe a confecção de quaisquer imagens de criaturas que sirvam como ídolos (Êx 20.4-6). No entanto, a aversão pela verdade absoluta e a defesa de que cada pessoa pode criar a própria verdade, baseada em suas percepções e experiências, repelem a verdade bíblica e pavimentam o caminho do relativismo.

Infelizmente, mensagens de autoajuda e discursos que visam auxiliar o indivíduo a se encaixar como pessoa regular no mundo têm sobrepujado a análise profunda do coração humano e a necessidade de uma transformação genuína e cabal. A superficialidade de nossos tempos está estampada nas redes sociais e arraigada nos meios de comunicação. É evidente a sede da humanidade por reflexões mais profundas e significativas, embora estas andem cada vez mais escassas. Vemos pessoas em busca de coerência, sedentas por respostas que lhes deem esperança em meio ao caos de uma sociedade materialmente abastada, mas pobre intelectual e espiritualmente.

João Calvino referiu-se ao coração humano como uma fábrica de ídolos. Mas o que ele quis dizer com isso? Será essa uma discussão relevante para os nossos dias?

Alguns autores cristãos contemporâneos têm se dedicado ao tema e explanado a relação da idolatria com os dias de hoje. Vinoth Ramachandra, por exemplo, afirma:

> Não poderemos livrar-nos nunca da criação de ídolos e ideologias, pois o espírito humano tem uma profunda necessidade de encontrar um significado para a vida e não se sente satisfeito apenas com as coisas materiais. O homem, diferentemente do restante do reino animal, não vive de pão apenas. Vivemos de significados. É somente quando o mundo material adquire um sentido espiritual por meio de uma nova criação simbólica que ele se torna objeto da nossa atenção: seja como servo, seja como ídolo. Um ídolo é geralmente um aspecto da boa criação de Deus e não pode ser Deus. Daí os ciclos de desilusão e de desespero pelos quais passamos, como indivíduos e também como sociedades inteiras.[1]

---

[1] Vinoth Ramachandra, *A falência dos deuses: A idolatria moderna e a missão cristã* (São Paulo: ABU, 2000), p. 149.

Fica fácil associar a ideia de idolatria com as sociedades pagãs representadas no Antigo e Novo Testamentos, mas, nos dias de hoje, o panteão continua vivo e ativo, ou seja, há tantos deuses quanto em eras passadas, ainda que representados com outras roupagens.

Para estudar esse tema, precisamos nos dispor a enxergar o próprio coração com um olhar crítico e clínico, pois os altares podem estar escondidos nos recônditos mais profundos, dissimulados e bem à vontade com nosso estilo de vida e nossas escolhas.

Adoração constante

O compositor e escritor Harold M. Best defende que o ser humano já nasce adorando e assim permanece por toda a vida. Sua definição é excelente: "Adoração é o constante derramar de tudo o que eu sou, tudo que eu faço e tudo o que eu posso me tornar à luz de um deus escolhido".[2]

Antes do primeiro pecado, o ser humano adorava a Deus, seu Criador, de forma contínua. Após essa mácula, homem e mulher passam a adorar qualquer outro ser, objeto, criatura ou ideia, o que caracteriza a idolatria, uma vez que a adoração ao Deus verdadeiro é a única autêntica.

Todos os dias se dá uma grande movimentação para sacrifícios e rituais no intuito de adorar diferentes deuses. Uns demandam sacrifícios de pequenos animais, oferendas com alimentos; outros, longos períodos de meditação e transe ou

---

[2] Harold M. Best, *Unceasing Worship: Biblical Perspectives on Worship and the Arts* (Downers Grove, IL: IVP, 2003), edição Kindle.

até mesmo autoflagelo. Sejam quais forem os sacrifícios e oferendas, o fato é que cada ídolo tem exigências que se manifestam das formas mais diversas. Enquanto uma religião possui uma dogmática completa, por meio da qual seus deuses são adorados de forma metódica, há deuses com padrões mais sutis e que, no entanto, continuam sendo ídolos. Um de nossos principais desafios é justamente identificar esses ídolos.

O fato é que os ídolos de maior influência na sociedade habitam o âmago, as profundezas da alma humana. O coração humano foi projetado para adorar. No início, homem e mulher conheciam e adoravam o Deus verdadeiro. O pecado mudou isso, fazendo-os buscar ídolos em quaisquer outros lugares. O ídolo é um ser (ou coisa) adorado por suas virtudes e qualidades, pelo bem que pode oferecer a seu adorador. Manter isso em mente é crucial, especialmente quando pretendemos compreender a adoração do outro. Quando alguém faz do time de futebol seu ídolo, por exemplo, é porque este lhe proporciona grande prazer por meio das habilidades de seus jogadores, dos títulos conquistados, dos grandes desafios enfrentados. O ídolo pode não ser realisticamente perfeito, mas traz consigo a idealização da perfeição — alguém pode facilmente idolatrar um time de futebol que não coleciona muitos títulos. A idolatria é tão cega que é capaz de passar por cima das falhas e imperfeições do objeto de desejo, tamanha a fome do coração do adorador. Deuses de madeira são cegos, surdos e mudos, e nada podem fazer em prol de seus adoradores. Ídolos humanos são tão falhos como quaisquer outros. Finitos e incompletos, incapazes de saciar a sede humana.

Qualquer coisa pode tornar-se objeto de culto, e também são várias as ofertas no culto idólatra: tempo, dinheiro, atenção, dedicação, devoção. As divindades modernas, travestidas das mais diversas formas, não necessariamente exigem do adorador ofertas sanguinolentas e cultos onerosos. O constante derramar do coração humano não precisa mostrar-se somente de uma forma. Na verdade, as possibilidades são infinitas.

Não é tarefa fácil identificar nossos verdadeiros ídolos, uma vez que eles podem estar entranhados em nosso ser, amalgamados à nossa essência, camuflados com belas roupagens que os tornam aceitáveis e agradáveis aos nossos olhos.

De todo modo, uma boa forma de identificar os ídolos é analisando nossos sentimentos, as respostas que damos em face das frustrações que sofremos. Nosso coração, entregue aos ídolos, passará por inúmeros desapontamentos e frustrações, uma vez que somente o Deus todo-poderoso é capaz de satisfazer plenamente o coração humano.

Aqui, porém, emerge um questionamento. Se afirmamos adorar ao único, perfeito e verdadeiro Deus, como podemos sofrer e nos desiludir com tanta frequência? A resposta está no fato de que nossas frustrações, via de regra, apontam para os ídolos. São eles que nos desapontam e deprimem com frequência, porque jamais conseguirão nos satisfazer ou responder às nossas profundas necessidades. "O que nos controla é senhor sobre nós", escreveu Rebecca Pippert. "A pessoa que busca poder é controlada pelo poder. A pessoa que busca aceitação é controlada pelas pessoas a quem busca agradar. Não controlamos a nós mesmos. Somos controlados pelo senhor de nossas vidas."[3]

[3]Rebecca Pippert, *Out of the Saltshaker* (Downers Grove, IL: InterVarsity Press, 1979), p. 53.

Estamos acostumados a rotular as pessoas com doenças ou transtornos psicológicos, quando, na verdade, em muitos casos, o que vemos é uma questão de idolatria. O perfeccionista, o viciado em trabalho (e, de fato, todo e qualquer adicto), o indeciso crônico, o controlador, todos esses estão arraigados em boas coisas que se converteram em ídolos. Os ídolos dominam nossa vida. Uma vez que abrimos mão da adoração ao Deus verdadeiro, tornamo-nos reféns da idolatria, e o objeto de nossa adoração está sempre travestido de algo bom, que supostamente nos fará bem. Para os de fora, muitas vezes, a idolatria não faz sentido, mas, para o adorador, seu ídolo sempre traz alívio, paz, segurança ou significado, ainda que haja destruição em seguida. O adicto, por exemplo, busca nas drogas alívio para seus traumas e desilusões. O ídolo, no entanto, não é a droga em si, mas aquilo que se quer alcançar com o consumo dela, isto é, o alívio momentâneo das dores na alma.

A primeira pergunta a que devemos responder em meio à correnteza do caos é onde encontramos nosso ídolo. Ele se apossa de nossos pensamentos e desejos mais profundos. Tudo o que fazemos converge para o culto a ele, pois nossos maiores esforços são dedicados àquilo que adoramos. Se analisarmos cuidadosamente em que investimos nosso tempo e nossa imaginação, revelaremos nossos ídolos. Expectativas e sonhos que têm um fim em si mesmos são como ídolos ocos que, no final, somente nos levarão ao desespero e à desilusão.

Uma amiga muito amada confidenciou certa vez que tinha uma estranha compulsão por doces, especialmente chocolates. Um dia, ela chegou à conclusão de que as guloseimas haviam tomado um lugar em sua vida que não lhes pertencia. Comer doces passou a ser uma resposta a suas alegrias, tristezas e frustrações. Por fim, ela reconheceu que somente o verdadeiro Deus pode ser seu refúgio em toda e qualquer situação e tomou atitudes que equilibrassem seu consumo de doces.

Outro dia, aventurando-me pelas redes sociais, vendo todo o tipo de conteúdo que as pessoas expõem em seus perfis, peguei-me pensando em como qualquer coisa pode tornar-se um ídolo. Alguns idolatram o próprio corpo; outros, a comida que comem (ou não comem). Uns adoram os prazeres que a vida pode oferecer; outros, a família que têm, os bens que conquistaram. Há quem adore até o próprio café! Alguém pode dizer que é exagero pensar que, se gostamos muito de algo, isso pode ser um ídolo, mas talvez esses objetos de desejo e devoção estejam somente na superfície do que realmente adoramos.

Quando toda a nossa existência orbita em torno de Jesus, o único Deus verdadeiro, conseguimos enxergar com clareza os demais aspectos da vida, sem posicioná-los como deuses. Com isso, passamos a dominá-los ao invés de sermos por eles dominados.

Não siga seu coração

> O coração é mais enganoso que qualquer outra coisa e sua doença é incurável. Quem é capaz de compreendê-lo?
>
> Jeremias 17.9, NVI

Siga seu coração! Esse talvez seja um dos jargões mais poderosos de nossos dias. É também o pior conselho que alguém pode dar. Afinal, quem poderia confiar numa fonte de sentimentos tão volúveis como é o coração humano? Enquanto indivíduos, somos desde cedo ensinados a ter um foco e objetivo de vida. Isso não é necessariamente ruim, mas pode tornar-se devastador quando todo o sentido de nossa existência passa a ser a conquista desse objetivo. Uma vez que nossa identidade se atrela àquilo que podemos nos tornar, fazemos desse objetivo um ídolo.

Se formos honestos o bastante, veremos que nós mesmos, no passado, tomamos atitudes e decisões baseadas tão somente no que sentimos, e não nos saímos bem. Além disso, nosso coração já não é o mesmo, pois as circunstâncias nos fizeram crescer, amadurecer ou nos endureceram com as tempestades da vida.

Sou mãe de três meninas. Em sã consciência, eu jamais diria a elas que seguissem o próprio coração. Em vez disso, eu lhes ensino a pensar, ponderar, orar, buscar conselhos e, então, tomar suas decisões. Vulneráveis como somos, é equivocada a ideia de que podemos obter êxito seguindo nosso coração. Conscientes de que o coração pode fabricar toda sorte de ídolos, entendemos também que ele é incapaz de ser uma fonte confiável na qual buscar respostas para os dilemas e infortúnios da vida.

O coração humano foi feito para adorar um Deus infinito e, por isso, tem sede infinita. Jesus afirmou que aqueles que bebessem da água que ele dá jamais teriam sede novamente. Somente ele pode satisfazer o coração humano. Qualquer outra tentativa será frustrada.

Cresci em um lar em que muito se valorizavam datas como aniversários, Natal, Páscoa, entre outras. Em cada uma dessas ocasiões, pelo menos um presente era deixado ao pé da cama para que abríssemos de manhã. Meus irmãos e eu nutríamos grande expectativa quanto ao que iríamos ganhar. Era um sentimento incrível! Quando nossas filhas nasceram, decidimos fazer algo parecido. Porém, a cada dia, convenço-me mais de que o problema da carência humana independe de condição financeira, meio social e até faixa etária. Minhas filhas são como pequenos buracos negros! Nunca estão satisfeitas com o que têm, sempre querem mais, sempre lhes falta algo. O que temos procurado ensinar a elas é exatamente isto: somente Deus pode nos satisfazer por completo. Devemos ser agradecidos pelo que temos e apresentar a ele nossos desejos e necessidades, sem desviar o olhar dessa verdade.

Muitos pais e mães levam os filhos a refletir sobre sua condição privilegiada diante de um mundo onde milhões de pessoas vivem na extrema pobreza. Isso é nobre e válido, mas não apresenta uma resposta satisfatória para o problema, uma vez que o cerne encontra-se no coração, não na realidade externa. Mesmo que o mundo tivesse condições justas para todos, ainda assim seria prejudicial manter padrões de insaciedade.

O coração que não está cheio de Cristo está sedento por outras coisas, muitas vezes coisas boas, mas que, com o tempo, tornam-se algozes vorazes e destroem nossa vida, pois idolatria é escravidão. Se não somos escravos de Cristo, em quem há liberdade, seremos escravos de outras coisas, pessoas ou circunstâncias. O indivíduo que olha somente para Jesus é livre para admirar todas as boas coisas criadas por Deus para o nosso próprio benefício sem ser dominado por elas.

Minha irmã mora em Boise, cidade no estado de Idaho, norte dos Estados Unidos. É um dos estados com maior concentração da comunidade mórmon naquele país, de modo que muitos dos costumes de seus adeptos são conhecidos pela comunidade em geral. Algo que me chamou a atenção foi que não se toma café e nenhuma bebida cafeinada quando se é mórmon. Essa proibição foi endossada por uma revelação recebida no início do século 19, e o motivo é simples: não consumir alimentos que podem levar ao vício. Apesar de o princípio ser válido e apontar para a preservação da integridade dos membros da comunidade mórmon, é importante ressaltar que qualquer coisa pode levar ao vício. Prova disso é o crescimento avassalador de pessoas obesas no mundo inteiro, pois estamos vivendo uma era de veneração à comida.

Jesus afirmou que o que entra pela boca não é o que contamina o homem, mas o que sai. Isso pode parecer paradoxal, mas se torna simples à luz da condição idólatra do ser humano. Quando o coração não está inteiramente voltado ao único Deus verdadeiro, outros altares são levantados, e sacrifícios e rituais são realizados para satisfazer o objeto de adoração.

O coração satisfeito

Se eu encontro em mim um desejo que nenhuma experiência desse mundo possa satisfazer, a explicação mais provável é que eu fui feito para um outro mundo.

C. S. Lewis

Ele fez tudo apropriado a seu tempo. Também pôs no coração do homem o anseio pela eternidade; mesmo assim este não consegue compreender inteiramente o que Deus fez.

Eclesiastes 3.11, NVI

Há alguns anos, um jovem chinês chamado Xiao Wang vendeu um de seus rins para uma rede de traficantes. Numa clínica clandestina, o jovem, com 17 anos na época, foi submetido a uma cirurgia e recebeu 3 mil dólares pelo órgão. Por causa das condições inadequadas da clínica, acabou contraindo uma infecção que prejudicou o rim restante e, hoje, faz hemodiálise. Wang queria muito comprar um iPhone, por isso tomou essa decisão extrema que mudaria sua vida para sempre.

Conheço bem a realidade de alguém que depende de hemodiálise para sobreviver. Meu pai faleceu em decorrência de uma doença degenerativa que atinge órgãos vitais, como os rins, fígado e coração. Por um bom tempo, ele teve de se submeter à hemodiálise três vezes por semana, quatro horas por dia. Um processo que, apesar de purificar boa parte do sangue, trazia consigo muitos efeitos negativos para o corpo, pois a máquina jamais conseguirá filtrar perfeitamente como fazem os rins.

Penso que o jovem chinês em nenhum momento conjecturou as consequências de sua atitude. Impulsionado pelo desejo de possuir um celular, ele se envolveu com traficantes, submeteu-se à mutilação do próprio corpo e sofrerá por toda a vida o resultado disso. Em contrapartida, o iPhone tornou-se rapidamente obsoleto.

A FÁBRICA MAIS ANTIGA DO MUNDO

Certamente, muitas pessoas frustram-se por não conseguirem adquirir os tantos artigos que são lançados todos os anos, sejam eletrônicos ou de qualquer outra espécie. Pressionados por uma estrutura que atrela o valor pessoal à aquisição de coisas, caminhamos com o coração sempre ávido por algo novo que satisfaça nossa necessidade de nos identificarmos com o meio social.

Nosso Deus, em contrapartida, concentra em si tudo o que é capaz de satisfazer o coração humano. Jesus vem como o Maravilhoso Conselheiro, Deus Poderoso, Pai Eterno, Príncipe da Paz. A plenitude de Deus se revela em Cristo de forma que podemos conhecê-lo. Quando olhamos para ele e o vemos sendo o Caminho, a Verdade e a Vida, não precisamos de mais nada; nossa sede é plenamente satisfeita. Aqueles que creem vivem da certeza de que, apesar de ainda viverem em um mundo caótico, terão suas lágrimas enxugadas e viverão um futuro de plena paz e abundância ao lado de seu Salvador.

O Maravilhoso Conselheiro vem para visitar os recônditos mais afetados por nossa condição pecaminosa. Todos nós precisamos daquele que é capaz de perfeitamente nos ouvir e compreender. Aquele que nos vê plenamente despidos das máscaras sociais, nus, sem qualquer barreira. Ele é Maravilhoso, porque é perfeito e, ainda assim, nos ama incondicionalmente. Quando alguém encontra um conselheiro capaz de ouvir pacientemente, abraçar e curar, jamais deixará de segui-lo. Assim acontecia com os que se encontravam com Jesus. Suas palavras tinham autoridade e estavam embebidas de um amor sobrenatural, jamais visto nesta terra. Não era sem razão que as multidões o seguiam.

· 81 ·

FONTE PARA A VIDA

Jesus encontrou-se com uma mulher samaritana à beira de um poço e pediu-lhe água (Jo 4.1-30). Com o desenrolar da narrativa, percebemos que ele a trata com dignidade, apesar de ela ser mulher, samaritana e alguém que havia tido diversos maridos e agora morava com um homem. Em meio a esse escandaloso encontro, vemos o Maravilhoso Conselheiro que vem para saciar a sede de significado do ser humano. Onde a sociedade via uma adúltera, insaciável e incontrolável, Jesus enxergou uma mulher profundamente desesperada por um Salvador que a compreendesse e a encontrasse em sua existência caótica.

Caminhando pelas ruas, Jesus teve inúmeros encontros com pessoas que sofriam física e emocionalmente. Ele falava com elas e as tocava, curando-as e libertando-as. O Deus Poderoso revestido de compaixão e humildade não teme tocar aqueles que o mundo considera descartáveis, condenados por sua condição física, emocional ou espiritual. Ele não vem em uma roupagem de super-herói moderno; antes, sua humanidade nos desafia e nos transforma em servos humildes que, da mesma forma, vão ao encontro da humanidade em degradação, pregando a verdade do reino.

Sua natureza de Pai Eterno nos promete vida eterna. Sabemos que nossa existência não se resume a meros setenta ou oitenta anos de vida sobre a terra. Nossa esperança é renovada quando olhamos para o Cristo ressurreto, aquele que venceu a morte e em breve nos levará para casa. Nossa sede pela eternidade é satisfeita em Jesus. Nele, nosso desejo por segurança é plenamente saciado.

O Príncipe da Paz triunfa sobre as tempestades da vida, acalmando-as. Se sua voz não acalmar o turbulento mar, ele certamente nos tomará pela mão e nos ajudará a andar sobre as águas. Seu olhar não nos intimida, mas nos enche de uma paz que excede todo entendimento. Num mundo onde todos buscam a paz de inúmeras formas, Jesus chega com doçura e sensibilidade, resgatando-nos em meio à ansiedade, ao pânico e a todas as demais desordens que nos acometem constantemente.

Deus se tornou carne e se humilhou em forma de servo, morrendo da forma mais terrível e levando sobre si os pecados da humanidade perversa. Esse amor maior que qualquer outro é tão infinito quanto a carência de nosso coração. É o amor que nos preenche por completo. Jesus não veio a este mundo em uma missão desesperada, como muitos podem supor. Seu plano já estava escrito antes da fundação do mundo. Como num enredo perfeito, o Criador todo-poderoso toma a forma de sua criatura, em toda sua finitude, e morre em seu lugar, pagando por pecados terríveis e desfazendo a separação de outrora. Nenhuma outra criatura poderá jamais demonstrar tamanho amor! Ele deve ser, portanto, nosso único alvo de adoração e devoção para sempre.

Quando olhamos para Cristo como ele realmente é, em sua plenitude, percebemos que ele é a única fonte inesgotável pela qual tanto ansiamos. A lente pela qual devemos enxergar tudo em volta. Os desejos mais escondidos de nossa alma são satisfeitos nele, um Deus que nos encontra em nossas profundas necessidades e nos resgata da autodestruição. Todos os deuses se prostram diante do Senhor do universo; e nós, seus filhos amados, rendemo-nos a ele, adorando-o em sua beleza e alimentando-nos de seu amor. As coisas criadas voltam a seu lugar, servindo

FONTE PARA A VIDA

nossa humanidade conforme delas necessitamos. As demais pessoas se tornam alvo do amor que dele recebemos e que agora transbordamos. Nossa alma plenamente satisfeita se deleita no Deus que se tornou homem. A Palavra que escreveu a história de amor mais bonita do universo. Mais antiga que a olaria é a fábrica que está em nós, construindo diariamente ídolos que se quebram. Somente Jesus pode transformar nossas fábricas interiores em templos de adoração genuína ao único Deus verdadeiro.

5

Relacionamentos intencionais: voltando a ser igreja

Francine Veríssimo Walsh
é psicopedagoga por formação e escritora por vocação. É autora de *Ela à imagem dele* e do romance cristão *Bem sei que tudo podes*, e líder do ministério on-line Graça em Flor desde 2015, que hoje conta com uma equipe de nove voluntárias.
Mora no Minnesota, nos EUA, com o marido, Beau, e a filha, Vesper.

Eu me sentei ao lado dele, com os olhos inchados e cheios de lágrimas. Minha alma ainda tentava compreender o que ele tinha dito: "Você não precisa ser perfeita". Não dava para acreditar. Quer dizer, de certa forma era bastante óbvio, mas meu coração era cético. Se eu não fosse perfeita, como ele poderia me amar?

No ano de 2015, meu então namorado e eu tivemos uma conversa que mudou minha vida. Eu já era convertida a Cristo desde 2009, mas nunca havia percebido quão profundas eram as raízes de minha descrença. Eu não cria que o amor de Deus fosse realmente incondicional e, consequentemente, não cria no amor de homens. Na minha cabeça, o Pai só poderia me amar se eu fosse, bem, amável. E então eu me esforçava todo dia para ser a melhor filha possível. E sempre que falhava (o que era constante) eu me sentia culpada.

Como já disse, só cheguei ao reconhecimento desse pecado seis anos após minha conversão, e somente porque *alguém* me apontou isso. Somente porque alguém viu para além do que eu podia ver sozinha. Seis anos tentando comprar o amor divino, seis longos anos impedindo que a incompreensível graça me arrebatasse como uma onda gigante, lavando tudo em mim e trazendo, finalmente, calmaria.

Esses seis anos não precisavam ter sido tão doídos. Bastava uma amizade profunda, verdadeira, e eu teria tido meus olhos abertos mais rapidamente. Mas eu vivi mais da metade da primeira década de minha conversão dentro de mim mesma, sem me abrir com ninguém, sem deixar que outra pessoa visse as profundezas do abismo dentro de mim. E, quando isso finalmente aconteceu, eu me vi leve.

Compartilho com você, querido leitor, minha história, para que entenda de onde vem minha profunda paixão por aquilo que chamo de relacionamento intencional, assunto deste capítulo. Antes de ter meu primeiro relacionamento intencional, eu vivia numa bolha — Jesus e eu. Na minha mente, não era preciso mais ninguém. Afinal, se meu barquinho da vida tinha Jesus, que humano seria necessário? Jesus seria suficiente, certo?

Trindade: o relacionamento de Deus com ele mesmo

Muitos crentes em Cristo vivem também em seus barquinhos solitários. É claro, Jesus está neles, e sim, ele é suficiente. Mas a solidão nunca foi o plano de Deus para suas criaturas. Para entender melhor essa afirmação, precisamos voltar para o início de tudo, quando ainda nem mesmo o primeiro homem existia.

Na eternidade, antes que houvesse a história e tudo o que conhecemos fosse criado, relacionamentos já existiam. Deus Pai, Deus Filho e Deus Espírito viviam em perfeita harmonia e união. A Bíblia nos diz que Deus é um só em essência, mas três em pessoa, e essas três pessoas já viviam em relacionamento antes da fundação do mundo. Nós podemos ver exemplos, ainda no Antigo Testamento, de versos que apontam as três pessoas da Santa Trindade. Por exemplo, Isaías 61.1 diz:

> O Espírito do Senhor Deus está sobre mim,
> porque o Senhor me ungiu para pregar boas-novas aos
>   quebrantados,
> enviou-me a curar os quebrantados de coração,
> a proclamar libertação aos cativos
> e a pôr em liberdade os algemados.

Nessa passagem, são mencionados o Espírito e Deus Pai ("o Senhor"), enquanto Deus Filho ("sobre mim") é a voz ativa dessa passagem messiânica. Ou seja, desde passagens do Antigo Testamento até passagens do Novo (por exemplo, Mateus 28.19), vemos as três pessoas da Trindade interagindo e agindo conforme seus diferentes papéis, ainda que sejam um só Deus em essência. Desde o início de tudo, a Trindade já estava em relacionamento, como vemos no diálogo de Gênesis 1.26: "E disse Deus: *Façamos* o homem à *nossa* imagem, conforme a *nossa* semelhança" (grifos meus).

Agora, voltemos à nossa imagem dos crentes solitários em seus barquinhos, satisfeitos porque Jesus está com eles. O primeiro homem, Adão, foi criado à imagem e semelhança de Deus e tinha a companhia constante do divino. Mas ainda assim Deus o julgou *só*. "Isso não é bom" foi o veredito de Deus, que então deu ao homem uma companheira idônea.

Adão precisava de alguém, porque ele foi criado à imagem e semelhança de um *Deus relacional*. E nós, como descendentes de Adão, também fomos criados para sermos relacionais. Deus olha para os barcos solitários que criamos e diz: "Não é bom". Nós somos completos quando temos uns aos outros, pois fomos criados para viver em comunidade. Por mais que queiramos nos esconder atrás de rótulos humanos, chamando nossos comportamentos de "introversão" ou "personalidade solitária", não podemos fugir da realidade da Criação. Você e eu precisamos um do outro, quer queiramos quer não.

A comunidade para a qual fomos chamados

O termo igreja vem do grego *ekklesia*, palavra composta de um prefixo e uma raiz. O prefixo *ek* ou *ex* significa "fora de" ou "de". Já a raiz da palavra significa "chamar". Ou seja, a igreja é o povo que Deus escolheu e separou para si. Jesus não chamou os seus para uma simples filosofia ou um novo estilo de vida. Ele os chamou *para si* — para serem dele, ouvirem a ele, seguirem a ele. E quando Jesus os chamou, criou neles um senso de família. Ele mesmo disse que nós somos filhos de Deus, ou seja, todos irmãos dessa mesma família.

Minha passagem preferida das Sagradas Escrituras está no Evangelho de João, capítulo 17, quando Jesus ora por seus discípulos, tanto os contemporâneos quanto os futuros (isto é, nós). Emociona-me pensar que Jesus orou por mim, uma seguidora sua do século 21. Quando olhamos para essa oração poderosa, vemos um chamado a relacionamentos que não é opcional, mas ordenado.

> Não rogo somente por estes, mas também por aqueles que vierem a crer em mim, por intermédio da sua palavra [...] Eu lhes tenho transmitido a glória que me tens dado, para que sejam um, como nós o somos; eu neles, e tu em mim, a fim de que sejam aperfeiçoados na unidade, para que o mundo conheça que tu me enviaste e os amaste, como também amaste a mim.
>
> João 17.20,22-23

Jesus nos explica a relação entre a Santa Trindade e a igreja — ambos vivem em unidade mediante a comunhão. O apóstolo Paulo também nos chamou a viver em unidade. É o que lemos em sua carta aos Filipenses, quando escreve: "penseis a mesma coisa, tenhais o mesmo amor, sejais unidos de alma, tendo o mesmo sentimento" (Fp 2.2).

E sabe o que é mais incrível nesse chamado à unidade? Ele é multiforme — tanto interno quanto externo. Internamente, a unidade da igreja nos dá a força de que precisamos para caminhar neste mundo de maneira a glorificar a

FONTE PARA A VIDA

Deus. Vemos isso em Eclesiastes 4.9-10: "Melhor é serem dois do que um [...]. Porque se caírem, um levanta o companheiro; ai, porém, do que estiver só; pois, caindo, não haverá quem o levante". E, externamente, Jesus disse que seria através desses relacionamentos que o mundo saberia que o Pai o enviou. Ou seja, nossos relacionamentos intencionais mostram às pessoas ao nosso redor que Jesus é real. Isso é poderoso!

O mais importante relacionamento intencional

A primeira lição sobre relacionamentos intencionais é que eles jamais funcionarão de forma horizontal se não houver um relacionamento vertical. Com isso quero dizer que o relacionamento mais importante em sua vida, como cristão, é aquele que você tem com o próprio Deus. O Criador nos fez relacionais para que, primariamente, nós nos relacionássemos com ele. Deus quer intimidade com os seus, e isso é possível por causa da vida, morte e ressurreição de Jesus. A nós é dado o privilégio de entrar no Santo dos Santos e estar com o Rei de todo o universo! Que o Senhor nos impeça de negligenciar esse relacionamento tão raro, tão vital. A intencionalidade em relacionamentos deve começar diante do trono divino.

E a verdade é que, sem o relacionamento com o Senhor, nossos relacionamentos humanos falharão, porque não estaremos preparados para amar se não estivermos próximos daquele que é o próprio Amor. Relacionar-se intencionalmente está diretamente vinculado a relacionar-se em amor verdadeiro. Ocorre que o amor intencional é também sacrificial, e isso implica desgastar-se, cansar-se, ter forças e recursos financeiros minados em prol de relacionamentos. Por isso, se nos concentrarmos em amar outras pessoas de forma intencional, mas não estivermos recebendo de Deus a força necessária, logo esses relacionamentos se tornarão um fardo e ficaremos cansados, sentindo-nos injustiçados por dar mais do que recebemos. Mas Jesus foi bondoso o suficiente para nos deixar o exemplo. Pelo nosso relacionamento com ele, entendemos o máximo da doação sem esperar nada em troca e somos incentivados a imitá-lo.

Quando esteve aqui encarnado, nosso Mestre vivia cercado por multidões que queriam receber dele sem nada dar em troca. Durante refeições, reuniões e até mesmo enquanto dormia, as demandas eram sem fim. Vemos uma dessas ocasiões descritas já no primeiro capítulo do Evangelho de Marcos, quando Jesus teve um dia bastante ocupado. Marcos nos conta que, durante um sábado, o Mestre foi com seus discípulos à sinagoga e ensinou ali. Em seguida, um homem possuído de espírito imundo se aproximou deles, e Jesus expulsou o espírito. Quando saíram da sinagoga, Jesus, Tiago e João se dirigiram à casa de André e Simão, e a sogra deste se encontrava enferma. Jesus a tomou pela mão e a curou. E então, "à tarde, ao cair do sol, trouxeram a Jesus todos os enfermos e endemoninhados. Toda a cidade estava reunida à porta. E ele curou muitos doentes de toda sorte de enfermidades; também expeliu muitos demônios, não lhes permitindo que falassem, porque sabiam quem ele era" (Mc 1.32-34).

Esse foi só um dia do ministério de Jesus. Em um só sábado, ele ensinou muitos, curou muitos, amou muitos. Eu imagino que para o Mestre essas demandas eram desgastantes, mas ele não cessava de se doar e nos chamou a sermos como ele é. Como é possível? Eu confesso que, quando olho a descrição de um só dia na vida de Jesus, desanimo e penso não ser capaz. Mas, conforme continuamos a leitura do Evangelho de Marcos, encontramos a resposta: "Tendo-se levantado alta madrugada, [Jesus] saiu, foi para um lugar deserto e ali orava" (Mc 1.35). Depois de um dia cheio de demandas humanas, Jesus levantou-se de madrugada (nem sequer permitiu-se dormir mais e descansar após um dia cheio!) e foi estar com o Pai em oração. Se o próprio Jesus precisava dessa comunhão com o Pai para repor suas forças, quem somos nós para negligenciá-la? O servo não é maior que seu Senhor.

Como viver isso de forma prática?

Compreendemos, assim, a importância bíblica de relacionamentos intencionais e a origem deles em nossa comunhão com Deus. Mas a verdade é que, ainda que alguns cristãos realmente acreditem não precisar de ninguém e prefiram viver solitários, a maioria de nós até compreende a necessidade de comunidade. Infelizmente, poucos de nós diriam viver isso de fato.

Dentro da igreja, poucos são os cristãos que experimentam relacionamentos como eles foram criados para ser. Em uma época como a nossa, em que vivemos mais conectados do que nunca e ao mesmo tempo talvez mais solitários do que nunca, é fácil entender por que há tanta dificuldade de sermos um. Ainda assim, nossa realidade individualista não é desculpa para não vivermos o que Jesus ordenou e exemplificou. A palavra "intencionais" não está no título deste capítulo por acaso. Esses relacionamentos só acontecerão se nós *ativamente* os criarmos e mantivermos. Passividade nos leva no ritmo da maré da natureza humana, e esta geralmente resulta em solidão e egoísmo.

Caso ainda não tenha ficado claro, o que eu aqui chamo de relacionamentos intencionais é a mesma coisa que em outros contextos se chama discipulado, ou até mesmo amizades cristãs. Todos esses termos expressam a mesma ideia: *relacionamentos nos quais ajudamos uns aos outros a seguir Jesus*. Por mais que existam diferentes termos, a essência é a mesma.

A ordem ao discipulado é de Jesus. Ele nos ordenou que fôssemos e fizéssemos discípulos. Mas o que ele estava dizendo não era somente "vá e evangelize para que outros sejam salvos", mas também "uma vez que eles forem salvos, ensine-os a caminhar no caminho estreito". Erroneamente, muitos de nós veem o chamado do discipulado como algo pontual no momento da evangelização para a salvação. Mas ser discípulo de Jesus não é só crer nele. É viver como ele viveu. Portanto, fazer discípulos é compartilhar as boas-novas e ajudar aqueles que creem a viverem, de forma contínua, de acordo com elas. Cristãos são um grupo de pessoas seguindo *juntas* no mesmo caminho, o caminho estreito. Nessa jornada, somos chamados a guiar e ser guiados, a amar e ser amados; e esse processo mútuo é o discipulado, ou relacionamento intencional.

Sem dúvida, as formas práticas de viver isso são multifacetadas. Muitas pessoas, especialmente mulheres, encaram

FONTE PARA A VIDA

o discipulado apenas como o relacionamento de pessoas mais velhas com pessoas mais novas, em que as primeiras ensinam e as últimas aprendem. Creio que isso se dê por causa de Tito 2 e do chamado das mulheres mais velhas a ensinarem as mais novas, mas a verdade é que discipulado, ainda que abranja esse relacionamento entre gerações, não se reduz a isso. Há muito que pessoas da mesma geração podem ensinar umas às outras sobre a caminhada com Jesus, e há muito também a se dizer acerca de maturidade cristã em oposição a maturidade biológica. Paulo comandou Timóteo a não permitir que sua juventude fosse desculpa para não ser um exemplo de todos os fiéis. Jovens podem ensinar os mais velhos, ao mesmo tempo que também aprendem deles.

Discipulado, como já citamos, é sempre um processo mútuo: ensinamos enquanto também aprendemos.

Em que consiste, então, esse discipulado? Creio que a melhor maneira de tê-lo é encarando-o como um *relacionamento de vivência*. Quer dizer, não apenas nos encontramos com essas pessoas vez ou outra nos cultos, mas vivemos juntos, como fazia a igreja primitiva. Sim, é necessário que nos sentemos juntos e aprendamos ao redor da Palavra (talvez com uma boa xícara de café ao lado), mas nem só de livros e discussões sobrevive um relacionamento. É preciso ir além; é preciso um viver conjunto, uma convivência que só pode acontecer com intencionalidade. Você pode, como eu, ter momentos separados para reuniões e encontros, mas eu sei que posso ligar para minhas amigas a qualquer momento do dia e contar com elas em situações difíceis. Não reduzimos nosso convívio a nossos encontros, mas fazemos deles parte de algo muito mais profundo.

Meu marido me disse uma frase, quando ainda namorávamos, que nunca esqueci: quanto mais pecadores se aproximam, mais a sujeira de um atingirá o outro. Precisamos ser realistas: relacionamentos entre humanos sempre envolverão dois pecadores, pois esse é o único tipo de humano que existe. Infelizmente, quando buscamos amigos, queremos alguém perfeito, que satisfará todas as nossas necessidades. Mas o próprio Jesus disse: Tire primeiro a viga dos seus olhos. Não espere perfeição do outro quando você mesmo é tão falho. Esteja aberto ao caos que os relacionamentos trarão e abrace as dificuldades, pois nelas crescemos.

Na verdade, amizades entre dois pecadores só funcionarão se nelas existirem três componentes: vulnerabilidade (Lc 7.37-38), confissão (Tg 5.16) e graça (Rm 15.7). Vulnerabilidade para expor os lados mais sujos e escuros de si mesmo, sem tentar se esconder atrás de máscaras. Confissão que vem naturalmente quando as máscaras caem. E graça como resposta a essas confissões. Nós devemos abrir o coração e confessar a nossos irmãos nossos pecados, trazendo-os à luz, único lugar em que eles podem morrer para que nós vivamos. E quando a vulnerabilidade gera confissão, a pessoa que a recebe deve sempre mostrar graça, ou seja, não julgar o irmão pelo que foi confessado, mas conduzi-lo ao evangelho e relembrá-lo de que não há mais condenação para os que estão em Cristo. Quando esse processo acontece, vemos pessoas realmente crescendo na estatura de Cristo e amadurecendo na fé. Esse é o objetivo, afinal, dos relacionamentos intencionais: ajudar uns aos outros a serem mais parecidos com Jesus à medida que caminham juntos, lado a lado.

Mas... com quem?

Por muito tempo, uma de minhas maiores dificuldades referentes ao discipulado era com quantas pessoas eu devia ter esse tipo de relacionamento. Por um lado, era difícil encontrar ao menos uma pessoa que quisesse se dedicar a isso comigo; por outro, parecia-me egoísta focar apenas uma ou duas amigas, quando existiam tantas mulheres ao meu redor necessitadas de relacionamentos.

Novamente, o exemplo de Jesus nos inspira. O Mestre, como vimos, estava sempre rodeado de pessoas, mas ele sabia que existia uma diferença entre seu relacionamento com as multidões e seu relacionamento com os discípulos. Isso eu chamo "círculos concêntricos dos relacionamentos".

Fica fácil entender esse conceito se criarmos uma figura mental para nos guiar. Tente imaginar um grande círculo vermelho. Dentro dele, imagine um círculo menor, amarelo. Então, dentro deste, imagine um círculo ainda menor, verde. E, por fim, imagine um pequenino círculo, dentro do verde, que seja azul. Agora, vamos aplicar a ideia. No *círculo vermelho*, no exemplo de Jesus, estavam as multidões — sempre ao redor, sendo abençoadas e cuidadas por ele, mas sem que houvesse intimidade ou profundidade nesses relacionamentos. No *círculo amarelo*, estavam os doze discípulos, amigos próximos de Jesus, nos quais ele investia, mas ainda assim não tão próximos quanto os três amigos do *círculo verde*, Pedro, Tiago e João, que estavam sempre com o Mestre em momentos importantes e especiais. E então, por fim, no *círculo azul*, o menor, estava João, o discípulo amado, a quem

RELACIONAMENTOS INTENCIONAIS: VOLTANDO A SER IGREJA

Jesus deixou a responsabilidade do cuidado de sua própria mãe após sua morte.

O que aprendemos com o exemplo de Jesus é que não somos chamados a "abraçar o mundo" e ter relacionamentos intensos e profundos com todos. Pode parecer piedoso, mas no fundo é apenas uma via rápida para a estafa. Nós somos, isto sim, chamados a ser corpo com todos, em unidade, mas Jesus nos mostra que podemos ter apenas alguns amigos mais próximos aos quais nos dedicamos com mais zelo. Quem serão essas pessoas em sua vida, somente você, com a ajuda do Espírito, pode saber.

Mas não se esqueça: embora tivesse amigos próximos, Jesus se importava com as multidões e nos mandou mostrar amor até mesmo a nossos inimigos. Não seja egoísta com seu tempo, ignorando as pessoas a seu redor, mas ao mesmo tempo não tente abraçar o mundo. O segredo está no *equilíbrio* guiado pela oração e pelo Espírito.

Onde? Com que frequência?

Nós vemos na Palavra que Jesus vivia sempre com seus discípulos, e a igreja primitiva também mantinha-se muito unida, dividindo a vida. A perseguição contra as igrejas relatada em Atos e nas cartas paulinas motivava necessariamente a união dos crentes, geralmente vivendo juntos e sempre perto, até mesmo como forma de proteção contra ataques. Mas hoje em dia muitos de nós vivemos em áreas distantes nas cidades, reunindo-nos apenas para congregar em um prédio específico ao qual chamamos de igreja. Como, então, saber a frequência "correta" desses relacionamentos e onde eles devem ocorrer? Como ter conexões de vivência em uma época como a nossa?

Existem algumas possibilidades. Eu mesma, de forma pessoal, tenho diferentes formas de relacionamentos intencionais acontecendo em minha vida. Eu tenho *meu círculo vermelho* com minhas irmãs da igreja que vejo todos os domingos. Nós conversamos e nos encontramos vez ou outra para comer e nos divertir. No *meu círculo amarelo*, tenho as amigas do pequeno grupo que meu marido e eu lideramos em nossa casa. Toda semana conversamos rapidamente e, apesar de não nos aprofundarmos muito, eu me mantenho aberta a qualquer conversa que elas precisem ter, estando sempre disponível quando elas precisam de mim. Além disso, tenho no *meu círculo verde* cerca de três ou quatro amigas em quem invisto com mais intencionalidade, e tentamos nos encontrar sempre que possível para conversarmos, compartilharmos dificuldades, confessarmos pecados, orarmos juntas e nos divertirmos. E então, tenho uma amiga no *meu círculo azul* com quem me encontro toda semana, em um horário específico, para compartilharmos da vida de forma mais aprofundada. É a ela que conto meus pecados mais profundos e é ela quem sabe das minhas partes mais doídas. Por fim, para além disso, tenho uma mulher mais velha com quem tenho vivido Tito 2, e nos encontramos duas vezes por mês.

Talvez você esteja pensando: "Uau, isso é muito tempo investindo em relacionamentos!", e de fato é. Mas eu me sinto privilegiada por ter tantas pessoas para amar e que me amam, para ensinar e que me ensinam. Isso é ser corpo de Cristo! Em contrapartida, você talvez pense: "Você é privilegiada mesmo, eu não tenho sequer um amigo chegado". Querido irmão, querida irmã, quero encorajar você a levar sua angústia a Deus. Como vimos, ele é o criador de relacionamentos e o mais interessado em ver você florescendo com outros cristãos. Peça em fé e veja o Senhor agir.

Se vivemos de forma isolada, usando o tempo livre para nossos próprios *hobbies* e atividades, não somos corpo, somos apenas... mãos. E mãos podem até tocar e pegar coisas, mas não podem sentir cheiro, não podem falar, não podem ouvir, não podem andar. Não podemos ser somente mãos, porque é somente quando o corpo de Cristo está bem ajustado que ele funciona. E, quando o corpo funciona, ele pode impactar o mundo com a verdade do reino de Deus.

É perigoso, entretanto, olhar para relacionamentos intencionais e tratá-los apenas como uma estratégia prática. Há uma parte orgânica e passiva e uma parte ativa nos relacionamentos. Ser corpo de Cristo é um acontecimento orgânico, uma vez que todo crente que nasce na família de Deus faz parte do corpo, e isso é automático, não depende de nós. Mas o apóstolo Paulo *ordenou* às igrejas que vivessem em unidade e buscassem ativamente manter o vínculo da unidade. Isso quer dizer que precisamos ser intencionais em garantir que nossos relacionamentos com irmãos em Cristo existam de forma crescente e profunda.

Por isso, eu creio que, independentemente da frequência e do local onde seus relacionamentos intencionais aconteçam, o que eles precisam é ser consistentes. Talvez você não tenha muitos amigos ainda com quem viver isso. Talvez tenha um só. Não importa. Quer encontrando-se semanalmente quer

FONTE PARA A VIDA

numa periodicidade maior, seja consistente em investir nesses relacionamentos.

Vivendo como a igreja primitiva

Quando Jesus ascendeu aos céus e deixou seus discípulos para guiarem a igreja, eles pregavam sobre o reino de Deus, e muitos eram convertidos. O livro de Atos nos relata como esses novos crentes viviam: "Todos os que creram estavam juntos e tinham tudo em comum. [...] Diariamente perseveravam unânimes no templo, partiam pão de casa em casa e tomavam as suas refeições com alegria e singeleza de coração, louvando a Deus e contando com a simpatia de todo o povo" (At 2.44,46). Eu sempre achei essa descrição particularmente bela. Vemos aqui, não estranhos em um templo, professando a mesma fé enquanto mal se conhecem. O que está descrito é um corpo de irmãos e irmãs agindo como família, compartilhando refeições, *vivendo juntos*.

Como já dito, não seria realista esperar que as igrejas locais fossem, ainda hoje, um grupo de membros que vivessem em uma só casa, compartilhando tudo. Mas a essência do que significa ser igreja não deveria ter mudado. Ainda deveria dizer respeito a viver *como* família, mesmo com cada um em sua casa. Precisamos voltar à singeleza do partir do pão, do compartilhar de refeições, do louvar a Deus, juntos e de forma constante.

Deus escolheu o termo "filhos" por um motivo. Ele quer que sejamos família, que realmente olhemos para nossos irmãos como irmãos, e não como estranhos que encontramos nos cultos semanalmente. Está na hora de voltarmos à essência do que significa ser a igreja de Cristo, ser seu corpo.

Uma das coisas que eu mais amo na descrição da igreja em Atos é a frase final do capítulo 2: "Enquanto isso, acrescentava-lhes o Senhor, dia a dia, os que iam sendo salvos" (2.47). Ou seja, enquanto os crentes viviam como família, o Senhor ia adicionando mais irmãos. Isso não é lindo? Viver como família não é um fardo, mas um incrível e imerecido privilégio!

Alguém escreveu em alguma rede social, outro dia, que aqueles que chamam Deus de Pai não escolhem seus irmãos. Eu concordo. Relacionamentos intencionais são difíceis, porque sempre acontecem entre pecadores. Você já parou para pensar que Jesus chamou tanto Mateus quanto Simão para serem seus discípulos? Mateus, um coletor de impostos pró-governo, e Simão, um zelote, rebelde contra o Império Romano, pronto para pegar em armas se preciso fosse.

Ora, o mesmo Jesus que chamou dois inimigos naturais a viverem como irmãos pode dar a você as forças necessárias para ter relacionamentos intencionais. Tenha fé e apenas obedeça. Eu prometo que a alegria decorrente deles será imensurável.

6
Uma breve teologia da hospitalidade

> **Ana Rute Cavaco**
> é casada com Tiago, mãe de Maria, Marta, Joaquim e Caleb. Dedica-se à família e serve com o marido na Igreja da Lapa em Lisboa, Portugal.

Compartilhai as necessidades dos santos; praticai a hospitalidade.

Romanos 12.13

Todos teremos as nossas memórias de infância acerca daquelas casas que visitávamos e de onde não apetecia sair. Lembro algumas. Não recordo particularmente as decorações, embora ainda consiga sentir os cheiros, as comidas a serem preparadas, a companhia dos que me recebiam.

O dicionário diz que a hospitalidade é o ato de acolher alguém, de hospedagem. E diz muito bem. Nas suas mais diversas vertentes, a hospitalidade a que o cristão é chamado é mais do que uma refeição ou uma cama lavada, ela diz respeito a acolher pessoas. Ora, receber pessoas no centro da nossa privacidade tem custos. Por mais que amemos fazê-lo, a nossa rotina é colocada em causa, a nossa dinâmica familiar é testada e a nossa paciência exercitada. São mais de duas décadas desde que tenho a minha própria família. Tendo eu crescido numa família numerosa onde a hospitalidade era exercida com bastante generosidade, quando chegou a hora de construir a minha forma de receber pessoas, com o meu marido, fui entendendo que ela iria exigir mais do que eu pensava. Agora, eu era a anfitriã. A seguir, alinho algumas das considerações a que cheguei ao longo destes tantos anos na diversa arte de receber.

Hospitalidade começa com disponibilidade

Hospitalidade rima com disponibilidade e disponibilidade rima com imprevisibilidade. Não foram poucas as vezes em que, com crianças e bebês pequenos, recebia uma chamada do meu marido a falar acerca da necessidade de receber alguém no mesmo dia para dormir ou para uma refeição. Podem imaginar o caos de uma casa com pequenos e despreparada para colocar tudo perfeito num curto espaço de tempo? Dava comigo numa correria para minimizar o caos. Queria receber bem e bonito. Mas a vida a acontecer numa casa, especialmente com seres humanos pequenos, não permite imagens do Pinterest. A única imagem do Pinterest que me parecia assentar bem na minha casa era a de um quadro que dizia: "Desculpem a confusão, mas vivemos aqui".

A escolha era entre receber imperfeito ou não receber. Receber é mais importante. Quando decidimos abrir a porta da nossa intimidade, estamos a decidir amar o próximo expondo as nossas imperfeições. Ao receber em toda e qualquer circunstância alguém que precisa de dormida, comida ou companhia, estamos a dizer que temos espaço para mais do que nós mesmos.

Hospitalidade começa com os que nos pertencem

Ora, se alguém não tem cuidado dos seus e especialmente dos da própria casa, tem negado a fé e é pior do que o descrente.

1Timóteo 5.8

A Bíblia é muito clara acerca de coerência, integridade, consistência. Alerta para cuidarmos primeiro dos que são nossos, porque de nada vale tratar bem os de fora e sermos intratáveis em nossa própria casa.

Por isso, hospitalidade começa com uma casa onde se ouve, se partilha, se organiza em conjunto, se conhece mutuamente, se diverte, se aborrece e se reconcilia. Se não temos prazer uns nos outros, no nosso espaço e em como convivemos, dificilmente vamos querer juntar outros ao nosso núcleo. Quando encontramos prazer naquele jogo, naquele hábito, naquela comida, queremos partilhar com outros a nossa forma de diversão, a nossa dinâmica, os nossos hábitos. Não porque fazemos tudo da maneira certa, mas porque, quando gostamos daquele filme, daquela comida, queremos que outros tenham a mesma sensação de bem-estar que nós tivemos e até voltar a viver isso com eles. Melhor do que uma comédia sozinha é uma comédia com dupla gargalhada, certo?

Mas isso nem sempre significa ausência de momentos constrangedores.

O culto doméstico, por exemplo. Durante os primeiros anos de bebês, fazer o culto doméstico com nossos filhos era estar perante um cenário ora delicioso, ora ridículo. Tanto havia um enorme entusiasmo por ouvir a história e fazer oração, como podíamos ter um deles boicotando a música, ou começando a chorar, ou outro fazendo uma cena porque queria a outra música. Nunca deixamos nenhum culto no meio, mas muitas vezes acabamos o culto só nós dois, mãe e pai, a fazer tudo. É só imaginar dois adultos a cantar sozinhos músicas infantis, simples. Essa dura batalha de encontrar a civilização no meio da devoção foi um longo caminho, mas com muitas dificuldades pelo meio.

O embaraço era tanto que certo dia eu tive uma ideia: iríamos ter visitas para jantar que eram meros conhecidos, pessoas com quem não estávamos à vontade, de quem sabíamos muito pouco. O que me passou pela cabeça, perante esse cenário de tentativa de culto doméstico logo após o jantar? Sugeri ao meu marido que fizéssemos o culto antes do jantar e das visitas chegarem, e não à hora habitual. Assim, evitaríamos o momento mais constrangedor de todos, já que passar uma refeição completa com criaturas a tentar comer com as mãos já seria suficiente. Recordo esse diálogo como se fosse hoje e as palavras do meu marido: "Nós não vamos mudar nada, porque não estamos a fazer nada de que devamos ter vergonha. Estamos na nossa casa, fazemos como todos os dias". E pronto, a minha ideia maravilhosa caiu por terra, e tivemos um culto doméstico digno de registro (ou não!).

Hoje, passados alguns anos, vejo quão ridícula era essa minha proposta e vejo bem como não fazia sentido nenhum saltar a possibilidade do testemunho, por causa do embaraço. Uns anos mais tarde, esse casal falou de como tinha sido importante aquele jantar na nossa casa, assistir à nossa dinâmica imperfeita, ver como vivíamos a fé. Eu, presa às minhas concepções do que os outros poderiam achar, querendo assegurar momentos controlados, quase corri o risco de tornar as previsões da minha cabeça mais importantes do que o momento em família, e até apagar o testemunho que poderíamos dar.

Hoje quem chega à nossa casa já presencia um culto doméstico bem civilizado. Seja quem for que chegue, sabe que entra na dinâmica Cavaco, e essa dinâmica tem essa coisa estranha depois do jantar que inclui leitura da Bíblia, versículos memorizados, catecismo, música. Tem de tudo, e quem entra faz parte.

Hoje vivemos esses momentos com outros com a noção de que podem servir de ideia para futuras famílias considerarem esse tempo devocional, e até outros que ainda não têm esse hábito pensarem na possibilidade. Se a família Cavaco não se importa de parecer ridícula, mais podem se juntar a ela. Em última instância, tudo isso diz respeito a quem nos permite fazer essas coisas todas, o nosso Criador. E ele aceita o nosso louvor de coração, de qualquer jeito, em qualquer momento do dia.

Hospitalidade não é entretenimento

Amai-vos cordialmente uns aos outros com amor fraternal, preferindo-vos em honra uns aos outros.

Romanos 12.10

FONTE PARA A VIDA

Hospitalidade e entretenimento podem ter exatamente a mesma aparência. Uma refeição servida, um tempo de convívio. Contudo, a hospitalidade, mais do que um tempo divertido e descontraído, tem uma preocupação de serviço e cuidado que vai além daquilo que classificamos como um dia bem passado. A hospitalidade busca conversas intencionais, que até podem ser divertidas. Busca preocupação com quem recebe, mais do que se provar a si mesma.

Recordo-me de um episódio de ida à casa de uma família cristã, que nos recebeu com muito carinho e dedicação. Digamos que estava tudo estudado ao pormenor, desde as entradas à sobremesa. Mas o tempo juntos foi acerca do anfitrião. Ele tomou as rédeas da conversa e dedicou horas a falar sobre o seu trabalho, o seu sucesso e o sucesso dos que se encontravam debaixo da sua liderança, falou de *hobbies* e atividades de luxo, prêmios de carreira e clientes. Enfim, foi um almoço e tarde bem cansativos, com meus filhos a escutarem tudo aquilo que eu não desejo para eles: amor aos bens materiais. Eu me senti bem-vinda, à chegada, mas com o passar do tempo senti-me com vontade de ter um controle remoto e mudar o canal, o tema, a pessoa. Monopolizar a conversa pode ser tão desagradável. Voltei para casa desanimada, a refletir sobre o que eu não quero que aconteça na minha casa, e que algum dos convidados presencie: a nossa autoexaltação, seja de que forma for. Ficou bem claro para mim que, quando recebemos pessoas na nossa casa, tem de existir um cuidado e uma atenção especial para aqueles que chegam, para sua condição, o que os preocupa e também o que os alegra. Ouvimos mais do que falamos e aproveitamos as deixas para contribuir de forma edificante, reorientando

Hospitalidade implica escolher a melhor parte

> Indo eles de caminho, entrou Jesus num povoado. E certa mulher, chamada Marta, hospedou-o na sua casa. Tinha ela uma irmã, chamada Maria, e esta quedava-se assentada aos pés do Senhor a ouvir-lhe os ensinamentos.
>
> Marta agitava-se de um lado para outro, ocupada em muitos serviços. Então, se aproximou de Jesus e disse: Senhor, não te importas de que minha irmã tenha deixado que eu fique a servir sozinha? Ordena-lhe, pois, que venha ajudar-me. Respondeu-lhe o Senhor: Marta! Marta! Andas inquieta e te preocupas com muitas coisas. Entretanto, pouco é necessário ou mesmo uma só coisa; Maria, pois, escolheu a boa parte, e esta não lhe será tirada.
>
> Lucas 18.38-42

A história de Marta e Maria sempre foi um problema para mim, e creio que é uma questão para muita gente. Marta fica sempre com a má reputação da mulher preocupada com as coisas básicas e efêmeras, e Maria é a espiritual. Mas vamos olhar novamente para esse episódio.

A história começa com Jesus e seus discípulos (todos homens) chegando a uma vila onde vive uma mulher chamada Marta. O relato nos informa que Marta abre sua casa para todos esses homens. A dada altura, fica irritada com a irmã, Maria, por se sentar aos pés de Jesus simplesmente a ouvir o que ele tem para dizer, em vez de ajudar com todos os preparativos que precisam ser feitos para alimentar e receber esse grupo de homens. Marta fica tão incomodada com a situação que chega mesmo a interromper a conversa e diz: "Senhor, não te importas de que minha irmã tenha deixado que eu fique a servir sozinha? Ordena-lhe, pois, que venha ajudar-me". (O que, sinceramente, me parece um pedido perfeitamente razoável, dadas as circunstâncias.) Jesus, então, responde: "Marta! Marta! Andas inquieta e te preocupas com muitas coisas. Entretanto, pouco é necessário ou mesmo uma só coisa; Maria, pois, escolheu a boa parte, e esta não lhe será tirada".

É sério que Jesus respondeu isso? O que é que lhe estava a passar pela cabeça? Por que ele não disse à Maria que se levantasse e ajudasse a irmã? Jesus está a afirmar que é melhor ficar a um canto com tudo por arrumar e limpar, e escutar uma boa conversa? Então, e o serviço? Marta não estava a servir com empenho os outros, não estava a dar o seu melhor?

Geralmente, na moral dessa história, alguém conclui que sim, é melhor estar a ouvir Jesus falar, tirando tempo para o escutar e aprender com ele, do que estarmos preocupados com a arrumação do lar e a preparação de comida. Facilmente se conclui que é fácil, na correria dos dias de hoje, perdermos a necessidade de leitura da Palavra, oração, conversas construtivas, e vivermos afadigadas com tudo o que precisamos fazer.

Tudo certo. Mas há mais. Nessa época, não era comum as mulheres terem esse espaço à mesa com os homens. Não era suposto Maria juntar-se ao grupo da forma como estava a fazer, nem era de esperar que uma mulher quisesse colocar questões acerca da lei, por exemplo. Jesus revoluciona todos esses conceitos, mostrando que Maria, sim, pode estar sentada a ouvir, que havia lugar para servir na cozinha ou na casa, mas havia também lugar para ela, se quisesse se sentar a aprender. Nesse sentido, Jesus como que convida Marta a juntar-se a uma condição que nem ela própria sabia que tinha.

Muitas vezes, isso pode acontecer conosco. Remetemos nossa condição de serviço ao que podemos fazer pelos outros em termos práticos. Queremos dar o nosso melhor, quando tantas vezes o que o outro deseja é apenas ser recebido e escutado. Também temos a aprender com o outro e precisamos usufruir da sua companhia.

Marta precisa ser resgatada de sua má reputação de mulher desinteressada de aprender com Jesus — ela estava no lugar onde era suposto as mulheres da época estarem; e nós, hoje, precisamos aplicar isto à nossa vida, largando os inúmeros afazeres de quando estamos a receber alguém, alguém esse com quem podemos aprender ou simplesmente precisamos escutar.

Hospitalidade não diz respeito a casas bonitinhas e arrumadas

Este é o subtítulo mais delicado para eu abordar, porque a estética é um conceito bastante subjetivo e com o qual sou exigente. Agora que já não tenho brinquedos espalhados por toda a casa, estou numa fase da vida em que posso ter padrões de arrumação e organização mais elevados, mas que preciso ter atenção para não ser escrava dela. Sendo completamente honesta, eu gosto de uma casa organizada e bonita. Por bonita, podemos definir que para mim a estética conta e não vou fingir que tanto faz ser recebida num apartamento frio e despido de decoração como num local confortável e agradável. Não. Acho que há grandes diferenças na forma como nos sentimos em cada ambiente.

Os olhos encontram prazer no que veem, e isso é invenção do nosso Criador. Os olhos fazem distinção entre bonito e feio, frio e quente. Podemos também encontrar louvor no que vemos e apreciamos, na natureza ao nosso redor.

Contudo, esse cuidado com a estética não deve ser uma prioridade última. Também não deve ser algo que só acontece quando temos visitas. Casas caóticas o tempo todo, mas arrumadas para aquele jantar não fazem sentido. O equilíbrio deve ser encontrado no dia a dia, e não algo que encenamos quando vamos receber alguém.

Quando temos prazer no próprio lar, quando apreciamos e nos sentimos confortáveis no sofá da nossa sala, quando apreciamos um quadro ou uma fotografia, nós concebemos isso, em primeiro lugar, para nós, criando um local onde outros se sintam bem-vindos também.

A hospitalidade, quando intencionada, deve ser contextualizada. Nestas décadas de vida ao serviço da igreja, já recebemos pessoas vindas de todos os lugares e, até, culturas. Uma coisa que aprendi é que a minha forma de receber deve levar em conta mais o conforto do que a organização.

Tive quatro filhos no intervalo de seis anos. Isso significou ter vários bebês ao mesmo tempo, e significou também idas a casas de pessoas que ainda não tinham filhos. Lembro-me do pânico de entrar na casa de um jovem casal que tinha tudo de tal forma arrumado que só faltavam as etiquetas com o preço. Dava para cenário de exposição. E, imaginem, tinham um sofá totalmente branco e cadeiras de madeira com assentos de pano brancos. Quase entrei em estado de hiperventilação, a ponto de pedir uns panos de cozinha para colocar por cima das cadeiras, porque iria ser impossível chegar ao final da refeição sem desastres.

Também me lembro de ter a experiência oposta: chegar à casa de pessoas com nódoas no sofá, decoração descontraída, e isso me aliviar na forma como eu poderia conviver sem ter de estar em modo alerta ao movimento dos meus filhos.

Experiências dessas me ajudaram a ter mais sensibilidade acerca de quem vou receber e de como tenho as coisas na minha casa. Não vivo preocupada com o fato de alguma coisa se estragar e tento expressar isso nos momentos de convívio. Além disso, ainda temos vestígios de quem viveu muitos anos com pequenos seres rastejantes e destruidores e mobílias bem antigas.

Quando pensamos em hospitalidade, o que devemos desejar mais não é ter um local digno de capa de revista, mas um lugar onde outros estejam tão à vontade que desejem estar conosco. A hospitalidade não existe para mostrar a nossa casa, existe para a podermos partilhar.

Hospitalidade é exposição

> Nada façam por ambição egoísta ou por vaidade, mas humildemente considerem os outros superiores a vocês mesmos.
>
> Filipenses 2.3, NVI

Uma coisa é receber convidados para um jantar, outra completamente diferente é ter pessoas a dormir na nossa casa por algum tempo. Temos essa experiência de diversas formas: amigos que chegam para dormir uma ou duas noites e mais tarde regressam (precisam ficar o fim de semana, por exemplo, e depois regressam ao local onde moram) ou pessoas que estão de visita a Portugal, e a nossa casa é o seu abrigo. Já tivemos gente a ficar por largas semanas.

Quem tem filhos sabe que nunca há descanso. Precisamos repetir as mesmas instruções todos os dias, as lutas são sempre as mesmas ("Já lavaste os dentes?", "Alguém vá colocar o lixo na rua!", "Quem está na escala de limpar a cozinha?", etc.). Além desses episódios repetidos, temos as questões entre filhos (aqueles desentendimentos que se ouve: "Mãe, ele não pediu autorização para usar o meu..." e semelhantes). Por último, temos ainda o que podemos chamar de contratempos entre pessoas pecadoras, sejam elas adultas ou crianças.

Por mais que queiramos e desejemos uma casa sempre harmoniosa, ao fim de uns dias fica impossível manter esse quadro, porque ele não é real. Nós somos pecadores num mundo caído. Não há como fingir perfeição.

A hospitalidade é também assumir isto: a nossa casa fica exposta e nem sempre vai ser uma coisa bonita de ver. E vai ser mesmo assim. Se preciso for, o conflito é resolvido no momento ou mais tarde, mas faz parte da vida e não há como esconder.

A hospitalidade partilha tudo: o espaço e as pessoas. No fim das contas, até a forma como lidamos com os momentos mais estranhos pode servir para o nosso crescimento e também ser um bom testemunho cristão.

Hospitalidade não tem a ver com as condições ideais

[...] cada um considere os outros superiores a si mesmo.
Filipenses 2.19, ARC

A família Cavaco gosta muito de receber pessoas para dormir, e se tivermos de dizer que temos um sonho enquanto família nesta área, esse sonho consiste em poder ter um quarto de hóspedes. Somos seis seres humanos num apartamento com três quartos; um quarto para o pai e a mãe, um quarto para os dois rapazes, outro quarto para as duas meninas. Temos uma sala razoável e uma cozinha pequena. Receber alguém para dormir pode significar duas coisas: o convidado ficar no sofá da sala (e isso acontece às vezes com jovens solteiros) ou o meu marido e eu nos mudarmos para a sala e oferecermos o nosso quarto ao casal que chega, até porque a nossa sala não tem portas e gostamos de dar privacidade a quem chega. Também pode significar os quatro irmãos dormirem todos juntos para o quarto dos rapazes ficar livre. Portanto, ter alguém para dormir exige alguma ginástica.

Mas as condições ideais não podem servir de impeditivo para receber. Seria muito bom ter as crianças acordadas pela manhã sem ter de as conter no ruído para não acordar ninguém; seria bom não ter fila de espera para o banheiro; seria bom que não esbarrássemos no corredor pela manhã. Mas creio que não tem corrido mal. Costumo dizer ao meu marido que se as visitas voltam, alguma coisa foi boa. A hospitalidade é muito mais do que quartos e condições.

Quando queremos receber, é uma decisão. Ajustamos o que temos ao que podemos oferecer. Como diz o povo português: "Quem dá o que tem, a mais não é obrigado".

Portanto, esperar por ter as condições ideais para receber alguém não é um bom princípio e é um conceito relativo. O que são as condições ideais? Depende em que parte do mundo estamos. Mesmo!

Acerca do assunto deste tópico, já escrevia Paulo à igreja em Filipo que os outros devem ser considerados por nós como superiores e merecem o nosso melhor. A hospitalidade implica um bom sacrifício.

Certa vez tivemos um casal americano na nossa casa por três semanas. Tudo na nossa cultura era um assunto com eles, de tão diferentes que a América e a Europa podem ser nestas matérias. O desejo deles, enquanto visitas, era conhecerem o país e as pessoas melhor. Como acontece em toda casa, chegou a hora de ter muita roupa para lavar (a deles e a nossa), e eles queriam fazer parte de tudo. Nunca na vida deles tinham tido a oportunidade de pendurar roupa no varal, com molas (os americanos usam secadora sempre; nem todos os portugueses têm secadora, e mesmo que tenham não usam no verão), e queriam muito fazê-lo. Embora eu quisesse servi-los e insistisse para ficarem sossegados a ler, eles queriam fazer parte. Ao fim de uns dias, iam às compras, ao café e ajudavam no que podiam. A minha vontade de os servir era, em parte, para simplificar a falta de espaço, o desconhecimento do espaço. Mas, apesar da ausência das condições ideais na minha cabeça, eles estavam muito contentes por fazerem parte da nossa rotina e poderem experimentá-la de uma forma que num hotel nunca seria possível.

UMA BREVE TEOLOGIA DA HOSPITALIDADE

Às vezes também têm de ser as visitas a nos mostrar como as coisas podem e devem acontecer, e este foi um desses casos. Hospitalidade é troca de experiências, é ajuda mútua, é partilha. A nossa casa não é um hotel onde as coisas aparecem feitas, nem é suposto ser. O que há para ser feito, se nos for demasiado, pedimos ajuda.

A hospitalidade abriga o desconhecido

A hospitalidade também é exposição no sentido de que nem todas as visitas são convenientes. Significa recebermos pessoas que não conhecemos bem, com histórias de vida opostas, com perspectivas diferentes, ou até mesmo sem uma fé.

É claro que sim, diz o leitor. Mas isso nem sempre é muito simples, ou fácil, especialmente quando temos uma família com filhos para educar. Significa que podemos ter, conosco à mesa, conversas e questões delicadas — quando nem sempre temos tempo de retirar as crianças. Significa que somos confrontados com passados, com crenças, com vivências que chocam diretamente com as nossas. E significa que, apesar disso tudo, devemos viver e afirmar a nossa fé, amando o próximo como a nós mesmos. Ao mesmo tempo, educamos nossos filhos perante a diferença, a disponibilidade, o ouvido atento, e na medida da sua compreensão vão sendo moldados nessa linha de pensamento, em que aquilo que acreditamos engloba também os que não acreditam no mesmo nem vivem como nós vivemos.

Estamos numa fase em que os filhos já têm maneiras à mesa (digamos que já não comem com as mãos e que

· 117 ·

esperam sentados sem interromper a conversa, o que dá imenso jeito), e uma das coisas que vemos neles é o gosto por receber outros no nosso espaço, a disponibilidade de oferecerem as camas para um amigo, passando eles para o chão, a alegria de poder servir, na sua medida, a disponibilidade para receber sem constrangimentos de aparência, cor de pele, raça ou condição social.

Hospitalidade implica carteira aberta

Receber pessoas significa despesa. Mesmo que haja aquele ditado, já do tempo das nossas avós, de que "quem alimenta um, alimenta dois ou três", viver na prática essa disposição significa abraçar a ideia de estarmos preparados para gastar mais em qualquer época do mês. Isso pode significar que, quando o salário entra na conta, fazemos gastos contidos para quando precisarmos fazer gastos extras.

Assim, escolhemos viver com menos, a fim de estarmos preparados para gastar com outros. Há uma frase de Rosaria Butterfield que diz assim: "Viver a hospitalidade de forma radical deixa-nos com muito para partilhar, porque vivemos intencionalmente abaixo das nossas possibilidades".

Nossa! Então isso significa que eu deixo de gastar certo dinheiro para aquela coisa em específico, de forma a ter para dar aos outros? Significa.

Porque viver abaixo do que podemos significa que nada do que recebemos ou conquistamos chegou até nós por nosso mérito. Significa que Deus foi tão generoso a ponto de entregar o próprio Filho por nós, de forma que não fazemos nada de mais em abdicar do que quer que seja no nosso dia a dia. Significa que aquilo de que mais precisávamos — resgate do pecado — já foi resolvido por nós, sem termos de fazer rigorosamente nada.

Durante uns anos, tivemos um hóspede muito caricato e divertido. Um amigo que vivia sozinho, sem emprego e com alguma dificuldade em planejar um futuro. Sempre que esse amigo chegava para um fim de semana, ou semana completa, eu sabia que tinha de estar preparada: ele ia chegar esfomeado. Um dos meses, em que o nosso congelador estava mais desfalcado, ele chegou, abriu a porta e exclamou: "Isto está mau por aqui!".

Era um hóspede que se queixava da falta de qualidade do estrado de ripas do sofá e que não tinha pruridos em me avisar que a comida tinha falta de sal. Também se chegou a queixar do barulho que as crianças faziam e a celebrar a hora em que elas iam dormir! Tudo o que ele pensava, expressava sem qualquer filtro. A verdade é que ele voltava sempre, e nós cá estávamos sempre para o receber. Quando ia embora, levava um lanche para o caminho e mais algum extra que lhe colocava na mochila.

Na nossa casa, esse amigo hóspede podia ser muitas vezes inapropriadamente sincero, e nós sabíamos que não existiriam mais casas disponíveis assim para o receber.

A hospitalidade é assumir que vamos dar e nem sempre receber o agradecimento à altura do que demos, ou podemos até ter ingratidão. Mas a hospitalidade não dá porque espera receber reconhecimento.

O conceito mais abrangente da hospitalidade entende que aquilo que damos nunca nos fará falta. Seja amor, companhia ou dinheiro. Nosso Pai do céu providencia muito mais do que pedimos ou precisamos, e é nessa confiança que usamos e desfrutamos dos recursos que ele nos dá.

A hospitalidade do nosso Pai do céu

> Na casa de meu Pai há muitas moradas. Se assim não fora, eu vo-lo teria dito. Pois vou preparar-vos lugar.
>
> João 14.2

Um dia, seremos recebidos na nossa eterna morada. O nosso Deus preparou algo magnífico, onde o adoraremos para sempre, numa alegria plena que ainda não conhecemos. Um dia, seremos recebidos pelo maior anfitrião de todos, que nos dará as boas-vindas ao nosso lar celeste, que ele preparou. Aguardamos ansiosamente o dia em que veremos o rosto do nosso Salvador e participaremos das bodas do cordeiro. Aí, sim, teremos as condições perfeitas, sem pecado e sem dor. Até lá, vivamos a honrar o Pai que nos presenteia com tudo o que somos, temos e vivemos, numa partilha com os que nos rodeiam.

7
O *mitte* da teologia paulina

---- **Mel Barbosa** ----
é formada em Direito, pós-graduada em Projetos Sociais
e mestranda em Teologia no Centro Presbiteriano de
Pós-Graduação Andrew Jumper do Mackenzie. Congrega
na Oitava Igreja Presbiteriana de Belo Horizonte. É
casada com Hugo Barbosa e mãe do Gustavo e Tiago.

Escrever sobre Paulo e sua teologia é um desafio. Ele foi um apóstolo que sobressaiu aos demais, devido a seu grande conhecimento da lei e da cultura judaica. Antes de sua conversão a Cristo Jesus, era tido como irrepreensível em sua conduta, zeloso pelas Escrituras e pelas tradições de seu povo, a ponto de se opor a tudo e todos que pudessem conflitar com sua crença. Sua formação provinha de três mundos. Ele foi educado como judeu, na religião e cultura hebraica, às quais pertencia por nascimento e tradição; havia vivido no mundo grego, cuja cultura era predominante em seu tempo; e era também cidadão do poderoso Império Romano. Toda essa experiência sem dúvida influenciou a formação da teologia paulina.

FONTE PARA A VIDA

O destaque a respeito da pessoa do apóstolo Paulo não ecoa apenas nas sagradas páginas da Bíblia, mas também no mundo secularizado, onde sua mente e inteligência são alvo de grande admiração. O estilo inconfundível de seus escritos e o fato de suas cartas expressarem de forma eloquente seus pensamentos asseguraram ao apóstolo um lugar entre os grandes escritores da literatura mundial.

A espontaneidade com que Paulo escreve suas cartas é atribuída por muitos estudiosos ao fato de ele se valer de amanuenses, pessoas que escreviam as cartas enquanto ele as ditava. Paulo era objetivo e conseguia comunicar sua mensagem de tal modo que suas cartas alcançavam um propósito além daquele imediato, permanecendo como instruções para todas as igrejas em todos os tempos. Elas revelam a energia com que ele abraçou e realizou sua missão de levar o evangelho aos gentios e plantar igrejas em todo o mundo conhecido a fim de que o cristianismo se expandisse.

No entanto, aquilo que mais se destaca na contribuição de Paulo ao cristianismo foi a maneira livre e gratuita com que proclamou a graça de Deus. O apóstolo declarou uma graça livre de todo tipo de servidão espiritual, de todo tipo de legalismo e peso, uma graça verdadeiramente gratuita, porque requer daqueles que a recebem somente a fé no Filho de Deus, Cristo Jesus. Paulo deixa explícito em seus ensinamentos como um Deus justo e bondoso pode ser também justificador de pecadores, e como ao justificá-los o mesmo Deus que concede sua graça faz com que eles se tornem semelhantes a Cristo no processo de santificação.

Para Paulo, o Antigo Testamento, os "Oráculos de Deus", como ele designava, ganhou ainda mais relevância, pois seu cumprimento e sentido são encontrados em Cristo, de modo que todo aquele que lesse as Sagradas Escrituras deveria conseguir ver Jesus revelado nelas. O contrário seria como se um véu estivesse "posto sobre o coração" (2Co 3.15). O Antigo Testamento preanunciou por meio de Abraão a justificação pela fé, que foi uma das mensagens mais proclamadas por Paulo. O apóstolo não desprezou os Oráculos de Deus; pelo contrário, foi se valendo deles que ensinou que Jesus é o Cristo. Toda vez que chegava a alguma cidade o apóstolo se dedicava a ensinar as Sagradas Escrituras e nelas trazia a revelação e o cumprimento da promessa do Messias que haveria de vir e salvar todos aqueles que nele cressem.

Neste capítulo, minha pretensão é falar sobre o *mitte*, ou seja, o centro do pensamento de Paulo em suas pregações. Qual é a doutrina ou o elemento central da pregação de Paulo, sobre o qual podemos organizar sua teologia?

Antes, porém, convém definirmos brevemente o que os estudiosos chamam de *Corpus paulinus*, que é todo o conteúdo dos escritos de Paulo no Novo Testamento.

Como bem sabemos, a Bíblia é composta por 66 livros, que juntos formam o *cânon d*as Escrituras ou a autoridade suprema da igreja. Isso significa dizer que a igreja tem como "norma" ou "vara de medir" única e exclusivamente a Bíblia. O cânon já está fechado, no sentido de que todos os livros que seguramente poderiam ser considerados inspirados, infalíveis e inerrantes já o compõem.

Havia muitos outros livros que, no período de composição do Novo Testamento, poderiam ter sido incluídos na Bíblia, mas não foram; e alguns cuja inclusão poderia parecer improvável acabaram sendo incluídos. A escolha não ocorreu de modo aleatório, mas obedeceu essencialmente a alguns critérios. Um deles era sua origem apostólica. Era necessário que o documento tivesse sido escrito por um apóstolo ou sob a sanção direta ou imediata de um apóstolo. Era o caso de Paulo, que tinha por costume usar um amanuense para escrever suas cartas. Outro critério importante para que o documento fosse aceito no cânon era sua receptividade pela igreja primitiva. Concordo com R. C. Sproul quando ele diz que "a igreja foi guiada providencialmente pela misericórdia de Deus no processo para determinar o cânon e, por isso mesmo, fez as decisões certas, de modo que cada livro que deveria estar na Bíblia está realmente na Bíblia".[1]

As cartas escritas pelo apóstolo Paulo passaram por todos esses critérios e foram incluídas no cânon, sendo consideradas parte das Sagradas Escrituras e, portanto, inspiradas pelo Espírito de Deus. São treze as cartas atribuídas a Paulo, tidas como a principal fonte de estudo para o conhecimento de sua teologia. Os sermões de Paulo no livro de Atos são também outra fonte a ser considerada. Muito embora essas duas fontes não nos concedam o conhecimento exaustivo do pensamento do apóstolo, são suficientes para abordarmos sua teologia.

Aqui adotaremos o denominado "Cânon Paulino Longo", por entender que não há evidências convincentes de que não tenha sido Paulo o autor das treze cartas a ele atribuídas, com a observação de que os estudiosos cuja linha considero em meu estudo não atribuem a Paulo a epístola aos

---

[1] R. C. Sproul, *Somos todos teólogos: Uma introdução à teologia sistemática* (São José dos Campos, SP: Fiel, 2017), edição Kindle.

Hebreus, motivo pelo qual ela não compõe o *corpus* paulino aqui considerado. Assim, as cartas tidas como escritas por Paulo são: Romanos, Gálatas, 1 e 2Coríntios, as epístolas principais; Efésios, Filipenses, Colossenses, 1 e 2Tessalonicenses, as epístolas gerais; 1 e 2 Timóteo e Tito, as chamadas epístolas pastorais; e Filemon, sua epístola pessoal. Fica, assim, definido o *corpus paulinus* dentro deste estudo.

O *mitte* do pensamento de Paulo

Há muito os estudiosos buscam definir aquele que seria o tema central do pensamento paulino, o chamado *mitte* (termo alemão que significa "centro"). Herman Ridderbos, autor que tomaremos como base para a construção deste capítulo, aponta o *mitte* como o tema que constituiria a porta de entrada para essa imponente construção que é o pensamento e a pregação de Paulo.[2] E, passando por essa porta de entrada, tem-se o acesso aos demais compartimentos, ou seja, há o tema central e em seguida o desenvolvimento de vários outros temas dentro da teologia paulina.

O *mitte* pode ser considerado a doutrina, o conceito ou o elemento central da pregação de Paulo, através do qual seria possível organizar sua teologia. Mas, para tanto, é necessário crer que, ao escrever suas cartas, o apóstolo foi inspirado pelo Espírito Santo. Porque, como bem assinalou Augustus Nicodemus ao tratar do tema, se a atividade de Paulo, como escritor, for tomada como um ato

---

[2] Ver Herman Ridderbos, *A teologia do apóstolo Paulo* (São Paulo: Cultura Cristã, 2013).

meramente humano, não há por que se falar em um *mitte*, pois as contradições inerentes à sua obra impossibilitariam referenciar um tema unificador, que trouxesse coerência a seu material.[3] Logo, partindo da premissa de que Deus é o autor último das cartas escritas por Paulo, entendemos que há um centro, que não necessariamente precisa ser uma única doutrina, mas que pode constituir um complexo doutrinário central do qual o apóstolo deriva os demais aspectos de seu ensino.

Herman Ridderbos e outros estudiosos vêm conseguindo alcançar um consenso crescente, no sentido de que têm encontrado o ponto de partida para uma abordagem adequada do todo, naquilo que diz respeito ao "caráter histórico-redentor escatológico da proclamação de Paulo". Segundo Ridderbos, o tema que preside a pregação de Paulo é a atividade salvadora de Deus no advento e na obra de Cristo, especialmente sua morte e ressurreição. Por um lado, essa atividade é o cumprimento da obra de Deus na história de Israel como nação, o cumprimento, portanto, das Escrituras; por outro lado, tem sua consumação final na vinda de Cristo e do reino de Deus.

Ressalto que a posição adotada no presente estudo tem seu fundamento na doutrina reformada e, embora seja um consenso cada vez maior, não é unânime. Apesar das divergências, aqui nos concentraremos no que é consensual entre os autores estudados.

---

[3] Ver Augustus Nicodemus Lopes, "Teologia paulina", *Monergismo*, <http://www.monergismo.com/textos/comentarios/teologia_paulina_augustus.pdf>.

Dito isso, vemos que, segundo Herman Ridderbos, o *mitte* do pensamento e pregação de Paulo pode ser sintetizado como "a proclamação e explicação do tempo escatológico de salvação inaugurado com o advento de Cristo, sua morte e ressurreição". É dessa ótica e sob esse ponto comum que todos os temas separados da pregação de Paulo podem ser analisados e mais bem compreendidos. Concordo com Augustus Nicodemus quando ele diz que Paulo concentra-se em suas cartas nos eventos da morte, ressurreição e exaltação de Cristo, fazendo pouca menção de seus milagres e demais obras, o que o torna, não o fundador do cristianismo, mas o maior expositor das implicações da obra realizada pelo Senhor Jesus. O centro a partir do qual Paulo desenvolve seu ministério é o entendimento de que o tempo escatológico da salvação, prometida no Antigo Testamento, foi inaugurado com a vinda ao mundo de Jesus Cristo encarnado.

Entendemos, assim, que o conceito escatológico da *história da salvação* é o centro dominante e ponto controlador da pregação de Paulo. Partindo dessa premissa, analisaremos as chamadas estruturas fundamentais, aquilo que é dominante e básico na pregação do apóstolo. Buscaremos, com isso, ver de que modo Paulo compreendeu o advento e a obra de Cristo como revelação do agir de Deus na história e o início de um novo tempo de salvação.

Plenitude dos tempos

Paulo utiliza a expressão "plenitude do tempo" duas vezes em suas cartas:

FONTE PARA A VIDA

[...] vindo, porém, a *plenitude do tempo*, Deus enviou seu Filho [...]

Gálatas 4.4

[...] o mistério da sua [de Deus] vontade [...] de fazer convergir nele, na dispensação da *plenitude dos tempos*, todas as coisas, tanto as do céu como as da terra [...]

Efésios 1.9-10

Augustus Nicodemus traduz o conceito nas passagens bíblicas da seguinte forma:

Gálatas 4.4: *pleroma tou chronou*, "plenitude do tempo" expressa o cumprimento do tempo como tempo do mundo, tempo cronológico que pode ser medido por um relógio.

Efésios 1.10: *pleroma tōn Kairōn*, "plenitude dos tempos" expressa o cumprimento de todas as intervenções histórico-redentivas de Deus anteriores, no decorrer do tempo do mundo. A vinda de Cristo foi a última intervenção salvadora de Deus na história (a segunda vinda é o desdobramento final desta última intervenção).

Paulo compreende que o fim dos tempos e o início de um grande tempo de salvação começaram com a vinda de Cristo.

O texto de 2Coríntios 6.2, que diz: "eis agora um *tempo sobremodo oportuno*, eis agora *o dia da salvação*" (grifos meus), aponta para o início desse tempo de salvação. As expressões em destaque expressam que o dia tão esperado chegou. De modo escatológico, o momento decisivo alvoreceu. E o contexto anterior, que está em 2Coríntios 5.17, demonstra a transformação trazida com a morte e

• 128 •

ressurreição de Cristo: "E assim, se alguém está em Cristo, é nova criatura: as coisas antigas já passaram; eis que se fizeram novas". Como ensina Ridderbos, a passagem deve ser interpretada não de forma individual, mas com um olhar de dois mundos. As "coisas antigas" sendo o mundo velho, cheio de pecado, não redimido, antes de Cristo; e o mundo novo como as "novas" em que tudo se faz novo com o tempo da salvação inaugurado pela vinda e ressurreição de Cristo. Todo aquele que crê em Cristo se torna participante no novo mundo como nova criação de Deus.

Paulo se refere ao acontecimento da vinda de Cristo como a revelação do mistério que antes se encontrava oculto, mas que agora foi revelado, e isso demonstra o caráter escatológico da redenção iniciada a partir de Jesus. Em várias passagens de suas cartas, fica entendido que o mistério que antes era oculto é parte do cumprimento do plano de Deus e que ainda não havia se manifestado, como é possível observar nas passagens abaixo:

> [...] conforme a revelação do mistério guardado em silêncio desde os tempos eternos, e que, agora, tornou-se manifesto [...]
>
> Romanos 16.25-26, NAA

> [...] o mistério que esteve escondido durante séculos e gerações, mas que agora foi manifestado aos seus santos.
>
> Colossenses 1.26, NAA

> [...] graça que nos foi dada em Cristo Jesus, antes dos tempos e manifestada agora, pelo aparecimento de nosso Salvador [...]
>
> 2 Timóteo 1.9-10, NAA

FONTE PARA A VIDA

[...] transmitimos a sabedoria de Deus em mistério, a sabedoria que estava oculta e que Deus predeterminou desde a eternidade para a nossa glória.

1Coríntios 2.7, NAA

O evangelho pregado por Paulo em suas epístolas tem como conteúdo o mistério revelado. Todo o seu ministério se deu em função de anunciar o cumprimento, em Cristo, da promessa de salvação. Concordo com Ridderbos quando ele diz que Paulo não apresenta mais a primeira anunciação do evangelho, e sim uma exposição posterior com sua aplicação (Rm 16.26; Ef 3.2; Cl 1.25-26).

A partir das epístolas de Paulo, fica claro, ainda que ele não utilize palavras idênticas às de Jesus, que a vinda do reino de Deus através de Cristo dá início à atividade escatológica salvadora de Deus no mundo, e esse é o grande centro da pregação de Paulo. Os demais apóstolos também criam nesse novo tempo que foi inaugurado com a vinda, morte e ressurreição de Jesus Cristo; a diferença é que Paulo expõe o tema de maneira única, com grande riqueza e profundidade.

Mistério revelado

Como afirma Ridderbos, a "escatologia" de Paulo é "Cristo-escatologia", pois a pregação de Paulo só pode ser abordada a partir de sua cristologia. É de fundamental importância compreender a teologia de Paulo em suas epístolas como fundamentada no plano escatológico de Deus, plano esse que teve sua revelação no nascimento, morte e ressurreição de Cristo. Esse é o mistério oculto anunciado por Paulo em suas pregações, a partir de uma cristologia de

• 130 •

O *MITTE* DA TEOLOGIA PAULINA

fatos redentivos, pois o que aconteceu com Cristo foi o fim e o cumprimento de uma sequência de atos redentivos divinos na história de Israel e o avanço do plano da redenção de Deus para o povo gentio eleito pela graça de Deus.

Porque, se o fato de eles terem sido rejeitados trouxe reconciliação ao mundo, que será o seu restabelecimento, senão vida dentre os mortos? E, se forem santas as primícias da massa, igualmente será santa a sua totalidade; se for santa a raiz, também os ramos o serão.

Se, porém, alguns dos ramos foram quebrados, e você, sendo oliveira brava, foi enxertado no meio deles e se tornou participante da raiz e da seiva da oliveira, não se glorie contra os ramos. Mas, se você se gloriar, lembre que não é você que sustenta a raiz, mas é a raiz que sustenta você.

Então você dirá: "Alguns ramos foram quebrados, para que eu fosse enxertado." Correto! Eles foram quebrados por causa da incredulidade, mas você continua firme mediante a fé. Não fique orgulhoso, mas tema. Porque, se Deus não poupou os ramos naturais, também não poupará você.

Considere, pois, a bondade e a severidade de Deus: para com os que caíram, severidade; mas, para com você, a bondade de Deus, desde que você permaneça nessa bondade.

Romanos 11.15-22, NAA

Em tempo algum a escatologia de Paulo deixa de lado a história de Israel; muito pelo contrário, ele reconhece que foi por meio do cumprimento das promessas de Deus ao povo de Israel que a salvação chegou também aos gentios (Rm 15.9-12), através de Cristo.

FONTE PARA A VIDA

Jesus Cristo, o mistério que antes se achava oculto, teve sua revelação através dos escritos proféticos (Rm 16.26), ou seja, a ação de Deus e seu plano de enviar o Messias foram preanunciados no Antigo Testamento por meio de profecia. O evangelho pregado por Paulo encontrava-se enraizado no Antigo Testamento, pois era através dele que o apóstolo demonstrava que Jesus era o Cristo, por meio do cumprimento das promessas feitas ao povo de Israel, que significava a execução do plano divino de salvação. Plano esse que Jesus tomou sobre si: "Ele nos revelou o mistério da sua vontade, segundo o seu propósito, que ele apresentou em Cristo, de fazer convergir nele, na dispensação da plenitude dos tempos, todas as coisas, tanto as do céu como as da terra" (Ef 1.9-10, NAA), isto é, o "eterno propósito que [Deus] estabeleceu em Cristo Jesus, nosso Senhor" (Ef 3.11).

O ponto mais destacável na teologia de Paulo é que ela vai sendo toda construída a partir de Cristo, em torno de sua pessoa e de tudo o que ele representa. A vinda de Cristo dá início a um novo tempo, e a pregação de Paulo anuncia exatamente isso, que Jesus veio, morreu e ressuscitou em cumprimento às promessas de redenção, iniciando um novo período da ação salvadora de Deus na humanidade, que será concluído na segunda vinda de Cristo. É justamente esse o motivo pelo qual a pregação de Paulo é toda fundamentada no Antigo Testamento: ele busca demonstrar através das Sagradas Escrituras o início da atividade realizadora do plano divino redentor de Deus.

· 132 ·

O último Adão

A ação redentora de Deus não pode ser vista de maneira completa apenas sob o aspecto da plenitude dos tempos e da chegada do tempo de salvação com a vinda de Cristo, embora tenha sido a partir da plenitude dos tempos que ocorreu o cumprimento da promessa redentora. Para uma visão total da obra de redenção divina, é preciso contemplar a morte e ressurreição de Cristo como sendo a atividade realizadora e consumadora de Deus, e é dessa premissa indivisível que Paulo extrai o centro de seu anúncio do evangelho.

Paulo entendia que a morte de Cristo foi determinada antes de tudo pela ligação com o poder e a culpa do pecado. Disso decorre Paulo qualificar seu evangelho como "palavra da cruz" (1Co 1.17-18). Segundo Ridderbos, "É essa morte especial de Cristo, qualificada pela cruz, que determina mais profundamente o significado da ressurreição de Cristo e da nova vida que vem à luz com ela, em seus aspectos legal, ético e cósmico".

Se a morte de Cristo está diretamente relacionada com o poder e a culpa do pecado, a ressurreição de Cristo traduz o raiar de uma nova era, um período histórico escatológico. Paulo por vezes se refere a Cristo como o "segundo homem" e "último Adão", o que demonstra o surgimento de uma nova criação como ele, bem expressa em 1Coríntios 15.21-22,45ss e Romanos 5.12ss. O apóstolo demonstra que, assim como por meio de Adão o pecado e a morte encontraram lugar no mundo, também por meio de Cristo viemos a ter perdão e vida, podendo agora nos reconciliar com Deus.

Podemos assim dizer que o centro da pregação de Paulo é escatológico, pois é mediante a morte e a ressurreição de Cristo que o novo tempo da salvação raiou, manifestando o verdadeiro "mistério do plano redentor de Deus".

Em Cristo, com Cristo

Paulo escreve em suas epístolas que foi por *nós* a obra de Cristo na cruz.

> Aquele que não conheceu pecado, ele o fez pecado por nós; para que, nele, fôssemos feitos justiça de Deus.
>
> 2Coríntios 5.21

> Cristo nos resgatou da maldição da lei, fazendo-se ele próprio maldição em nosso lugar (porque está escrito: Maldito todo aquele que for pendurado em madeiro).
>
> Gálatas 3.13

> [Cristo] se entregou a si mesmo pelos nossos pecados, para nos desarraigar deste mundo perverso, segundo a vontade do nosso Deus e Pai.
>
> Gálatas 1.4

Como, porém, o que aconteceu com Cristo pode alcançar e beneficiar para sempre aqueles que a ele pertencem? Paulo utiliza a expressão *por nós* para aludir à obra de Cristo na cruz, que é interpretada por ele como uma continuação do sistema sacrificial do Antigo Testamento.

Entretanto, é quando se soma a expressão *em Cristo* à expressão *por nós* que Paulo demonstra o caráter da união que transforma em nova criação aqueles que o pertencem, de modo que já não são mais conhecidos nem julgados segundo a carne. Assim ele escreve em 2Coríntios 5.14-17:

> [...] um morreu por todos; logo, todos morreram. E ele morreu por todos, para que os que vivem não vivam mais para si mesmos, mas para aquele que por eles morreu e ressuscitou. Assim que, nós, daqui por diante, a ninguém conhecemos segundo a carne; e, se antes conhecemos Cristo segundo a carne, já agora não o conhecemos deste modo. E, assim, se alguém está em Cristo, é nova criatura.

Nas palavras de Augustus Nicodemus:

> *Estar em Cristo*, na pregação de Paulo, é um *estado contínuo, um modo de existência*, e não um evento que acontece quando alguém é batizado ou toma o pão e o vinho. Não é uma comunhão que se torna realidade durante esses eventos, mas uma realidade permanente e determinativa para todos os aspectos da vida cristã. Não se trata de *experiências*, mas do estado objetivo de salvação no qual a igreja se encontra.

Uma leitura de Colossenses 2.20 e 3.4 nos ajuda a compreender melhor o que é dito pelo autor.

Paulo escreve que assim como Cristo morreu por todos, todos morreram, e agora os crentes são novas criaturas. O que era velho agora é novo. O "velho homem" foi crucificado com Cristo e agora é um "novo homem" em Cristo. Esse é um processo contínuo ao longo da vida. Implica deixar de ser imagem do primeiro Adão, com a mortificação do velho homem, e dar lugar à imagem do último Adão, ressuscitando em Cristo.

[...] foi crucificado com ele o nosso velho homem, para que o corpo do pecado seja destruído, e não sirvamos o pecado como escravos.

Romanos 6.6

[...] quanto ao trato passado, vos despojeis do velho homem, que se corrompe segundo as concupiscências do engano, criado segundo Deus, em justiça e retidão procedentes da verdade.

Efésios 4.2-24

Não mintais uns aos outros, uma vez que vos despistes do velho homem com os seus feitos e vos revestistes do novo homem que se refaz para o pleno conhecimento, segundo a imagem que o criou.

Colossenses 3.9-10

Concluímos, assim, que a união mística dos crentes com Cristo é um argumento dominante na construção paulina do conceito de novo homem. Ele ajuda a sustentar o caráter histórico-redentor da teologia paulina à medida que o novo homem se torna participante da salvação que é realizada por meio de Cristo.

Carne e espírito

Ao abordar essa estrutura fundamental, Herman Ridderbos reflete sobre qual significado deve ser atribuído, para Paulo, à vida de Cristo na terra antes de sua morte e ressurreição, uma vez que para o apóstolo a ressurreição é o início da nova criação. Poucas vezes Paulo menciona a vida, os milagres e as pregações de Jesus. Quando aborda sua vida antes da ressurreição, ele a caracteriza como sendo uma vida "segundo a carne" ou "na carne", sob a perspectiva da história da redenção.

Como Ridderbos explica, "carne" não significa apenas o físico nem o humano como tal, mas o humano em sua fraqueza e transitoriedade, aquilo que o próprio Paulo coloca em termos do que é "formado da terra, é terreno" (1Co 15.47) e que em Gálatas 4 é chamado de "nascido de mulher". É assim que Cristo foi revelado na carne, sob forma de existência humana, frágil, transitória, ainda que em nenhum momento compartilhando do pecado da humanidade.

Paulo também nos oferece um contraste entre carne e espírito como representando dois modos de existência, a primeira a velha era, caracterizada e determinada pela carne, e a segunda a nova criação que provém do Espírito de Deus. Cabe lembrar a citação que Paulo faz em 1Coríntios 15.45 acerca do primeiro e do último Adão: "Pois assim está escrito: 'O primeiro homem, Adão, se tornou um ser vivente.' Mas o último Adão é espírito vivificante" (NAA).

Paulo conecta o Espírito ao mover de Deus no Antigo Testamento, representando o poder e o agir do Criador no cumprimento das promessas salvadoras na história. Para o apóstolo, o Espírito é o dom dos últimos tempos (At 2.16; Rm 2.29; 5.5; 8.15; 2Co 3.3,6; Gl 3.14; Ef 1.13).

Cristo, Filho de Deus

Para Paulo, o sinal da nova era decorre do fato de ser Cristo "designado Filho de Deus com poder segundo o espírito de santidade pela ressurreição dos mortos" (Rm 1.4). Cristo ser Filho de Deus significa ser ele o próprio Deus, e é dessa maneira que Paulo comunica a filiação divina de Cristo em suas epístolas:

> Fiel é Deus, pelo qual fostes chamados à comunhão de seu Filho Jesus Cristo, nosso Senhor.
>
> 1Coríntios 1.9

> Porquanto o que fora impossível à lei, no que estava enferma pela carne, isso fez Deus enviando o seu próprio Filho em semelhança de carne pecaminosa e no tocante ao pecado; e, com efeito, condenou Deus, na carne, o pecado.
>
> Romanos 8.3

> [...] pois ele, subsistindo em forma de Deus, não julgou como usurpação o ser igual a Deus; antes, a si mesmo se esvaziou, assumindo a forma de servo, tornando-se em semelhança de homens; e, reconhecido em figura humana, a si mesmo se humilhou, tornando-se obediente até à morte e morte de cruz. Pelo que também Deus o exaltou sobremaneira e lhe deu o nome que está acima de todo nome, para que ao nome de Jesus se dobre todo joelho, nos céus, na terra e debaixo da terra.
>
> Filipenses 2.6-10

Ao dizer que Cristo subsistiu em forma de Deus, Paulo identifica a glória de Cristo com o caráter redentor de sua vinda, relatado na história de Israel, de modo que a revelação de Cristo, o Filho de Deus, o Messias, à igreja é descrita como o mistério revelado, o cumprimento das promessas esperadas pelo povo judeu e o raiar de uma nova era. De acordo com Ridderbos, a cristologia de Paulo se fundamenta exatamente em sua compreensão de Cristo crucificado e ressurreto, conforme enviado pelo Pai (Ef 1.9; 2Tm 1.9).

O primogênito da criação

Paulo chama Cristo de "o primogênito de toda a criação", aquele que é a "imagem de Deus" (Cl 1.15), sinalizando para o início da criação de todas as coisas, para o fato de que foi por meio dele e para ele que tudo se fez. Cristo é superior a todo governo, autoridade, poder e domínio, existindo antes de todas as coisas ("aprouve a Deus que, nele, residisse toda a plenitude", Cl 1.19). Ao apontar para Cristo como "o primogênito da Criação", Paulo atribui a ele, como diz Augustus Nicodemus, uma posição com significado escatológico, histórico e redentivo de sua pessoa e obra. Cristo é Senhor absoluto não somente de toda a criação visível, mas invisível também.

A cristologia de Paulo, ao designar o senhorio cósmico de Cristo, tem levado muitos estudiosos a tentar explicar a origem desse pensamento. Várias explicações surgiram, mas duas delas são tidas como as principais e debatidas por Augustus Nicodemus em seu estudo a respeito da teologia paulina.

a) *Sabedoria*. A Bíblia atribui à sabedoria conceitos com os quais certamente Paulo estava familiarizado. Em passagens como Provérbios 1.20-31, 3.19 e 8.22-36, a sabedoria é aludida de forma personificada. Muitos estudiosos acreditam que Paulo, ao escrever a passagem de Colossenses 1.15-20, estava atribuindo a Cristo os atributos da sabedoria divina encontrados em passagens como as citadas acima e também em livros apócrifos. Esses textos enfatizam a sabedoria divina como sendo a essência da piedade judaica, não sendo essa a intenção de Paulo ao utilizar a mesma terminologia, mas sim se referir a Cristo. Augustus Nicodemus nos lembra que a sabedoria personificada nesses livros é uma criação de Deus, ao passo que Paulo fala de Cristo em Colossenses 1.15-20 como pessoa divina pré-existente. Logo, não se deve entender o texto de Paulo como uma interpretação cristológica da sabedoria divina.

b) *Filo e os escritos herméticos*. Nos tratados do *Corpus hermeticus*, Filo aborda questões teológicas e filosóficas. Ele discorre sobre o cosmos e o homem divino primitivo como sendo a imagem de Deus. Alguns estudiosos, comparando o conteúdo dos escritos herméticos com a cristologia paulina, adotaram a tese de que Paulo foi influenciado por tais estudos, valendo-se de seus conceitos para escrever a passagem de Colossenses 1.15-20 e atribuí-los a Cristo. Naturalmente, não se pode aceitar essa hipótese; o mais certo é que Paulo simplesmente recorreu aos ensinos do Antigo Testamento a respeito da criação do homem e do mundo. O título "o primogênito da criação" não apenas posiciona Cristo na existência de todas as coisas, como também, nas palavras de Augustus Nicodemus, alude a Adão, implicando a autoridade de Cristo sobre toda a criação e sobre sua igreja, como sendo o último Adão. A nova criação, a partir de Cristo, vem ao mundo trazendo vida e remissão de pecados, no lugar da velha criação, que era Adão, por meio do qual pecado e a morte entraram no mundo. Em outras palavras, Paulo coloca Cristo no início e no fim da história da redenção.

O Cristo exaltado e o Kyrios vindouro

Finalmente, chegamos à ultima, mas não menos importante, das estruturas fundamentais do pensamento de Paulo, que demonstram o caráter histórico-redentivo da pregação do apóstolo. Trata-se da ascensão de Cristo ao céu e do fato de ele estar assentado à direita de Deus, bem como daquilo que os estudiosos chamam de *parousia*, sua segunda vinda.

Algumas passagens bíblicas parecem pôr em segundo plano a exaltação de Cristo no céu, dando a entender que o centro é agora o Espírito Santo como aquele em cujos dons a igreja recebe uma parte da glória de seu Senhor exaltado, e por meio do qual a comunhão entre o *Kyrios* e sua igreja é mantida. O que leva ao entendimento, como disse Herman Ridderbos, de que a apropriação dos dons de Cristo passa a ocupar papel de destaque, deixando as riquezas da salvação, já anunciadas em Cristo, em função secundária.

> Ora, os dons são diversos, mas o Espírito é o mesmo. E também há diversidade nos serviços, mas o Senhor é o mesmo.
>
> 1Coríntios 12.4-5

> Ora, o Senhor é o Espírito.
>
> 2Coríntios 3.17

> [...] há somente um corpo e um Espírito [...] há um só Senhor, uma só fé.
>
> Efésios 4.4-5

Mas essa perspectiva está equivocada. Não é possível supor que a comunhão com o *Kyrios* pneumático tenha passado a ser o centro da cristologia paulina no lugar da expectativa da vinda do Filho do Homem. Como lembra Ridderbos, "para Paulo, assim como para a igreja cristã primitiva como um todo, o Espírito Santo é preeminentemente o dom escatológico, a revelação do grande tempo de salvação, de acordo com as profecias do Antigo Testamento". A dispensação do Espírito é a dispensação provisional, o que dá significado a certas expressões utilizadas pelo apóstolo, tais como "primícias do Espírito" (Rm 8.23), "penhor do Espírito" (2 Co 1.22; Ef 1.13; 4.30), no qual os crentes são selados até a redenção final, sendo o Espírito Santo também quem desperta e mantém acesos nos cristãos a fé e o desejo da plena revelação dos filhos de Deus (Rm 8.16,23,26). Assim, é possível concluir que a compreensão de Espírito na teologia paulina tem uma consciência histórico-escatológica.

É com base nesse conceito escatológico de Paulo a respeito de Espírito que devemos buscar entender que, para o apóstolo, Jesus, como *Kyrios* exaltado, era idêntico ao Espírito. A passagem bíblica principal utilizada para comprovar essa relação é 2Coríntios 3.17, na qual é dito que o "Senhor é o Espírito". Paulo chama Cristo de "o Espírito", porque no Senhor a obra do Espírito é levada a pleno efeito, a nova aliança se cumpre e a nova criação acontece.

A vinda de Cristo no futuro como Senhor exaltado é ponto central na pregação de Paulo. Não há como haver a consumação completa da obra de Cristo até que ele se manifeste em glória com todos os eleitos de Deus, quando então o último mistério será revelado, libertando a igreja de todo o cativeiro da corrupção (Cl 3.4; 1Co 15.51; Rm 11.25; Rm 8.21ss).

Conclusão

O propósito do presente capítulo foi demonstrar que, embora a pregação de Paulo contenha diversos aspectos e suas epístolas atendam a situações circunstanciais, sua teologia possui um *mitte*, um centro de partida escatológico, histórico-redentivo, que nos leva a perceber a unidade do pensamento de Paulo com o Antigo Testamento, com o ensino de Jesus e dos demais autores do Novo Testamento.

Todas as estruturas fundamentais estudadas demonstram quanto a obra de Cristo é complexa e como Paulo, inspirado pelo Espírito Santo, teve êxito em abordar todos esses conceitos. Finalizo reproduzindo as palavras de Herman Riderbbos, segundo o qual o pensamento de Paulo pode ser sintetizado como "a proclamação e explicação do tempo escatológico de salvação inaugurado com o advento de Cristo, sua morte e ressurreição. É desse ponto de vista principal e sob esse denominador que todos os temas separados da pregação de Paulo podem ser compreendidos e sondados em sua unidade e na relação que possuem uns com os outros".

Compartilhe suas impressões de leitura,
mencionando o título da obra, pelo e-mail
opiniao-do-leitor@mundocristao.com.br
ou por nossas redes sociais

Esta obra foi composta com tipografia Adobe Caslon Pro
e impressa em papel Pólen Bold 70 g/m² na gráfica Assahi